Una tarde con campanas

Juan Carlos Méndez Guédez

Una tarde con campanas

ALIANZA EDITORIAL

Unicaja
F u n d a c i ó n

El V Premio de Novela Fernando Quiñones
está patrocinado por la Fundación Unicaja.

Una tarde con campanas resultó finalista del V Premio
de Novela Fernando Quiñones.
El jurado estuvo formado por Nadia Consolani, Eduardo Jordá,
Hipólito G. Navarro, Camilo José Cela Conde y Valeria Ciompi.

Primera edición: 2004
Segunda edición: 2018

Diseño de cubierta: Elsa Suárez Girard / www.elsasuarez.com
Imagen: © Getty Images

© Juan Carlos Méndez Guédez, 2004
Autor representado por Silvia Bastos, S. L. Agencia Literaria
© Alianza Editorial, S. A., Madrid, 2004, 2018
    Calle Juan Ignacio Luca de Tena, 15
    28027 Madrid
    www.alianzaeditorial.es
    ISBN: 978-84-9104-963-0
    Depósito legal: M. 31.455-2018
    Printed in Spain

SI QUIERE RECIBIR INFORMACIÓN PERIÓDICA SOBRE LAS NOVEDADES DE
ALIANZA EDITORIAL, ENVÍE UN CORREO ELECTRÓNICO A LA DIRECCIÓN:

alianzaeditorial@anaya.es

A Raquel Méndez Roperti,
cielo y sol, estrella y
hoja, árbol y lluvia, todo todo,
para que si ella lo desea algún día,
pueda decir Venezuela y Venesuela.

A Cori, Tere, Tara y Saulo,
para que el frío de Tacoronte
nos hable en guanche.

A Giovanni González,
en la amistad y en la ciudad
primera con sus cielos de rioja.

Para María Elena, Agustín y Adrián,
fiesta y Madrid en el nuevo milenio.

¡Oh pies míos! ¿Dónde vais
sin mí por tierras ajenas
tan extrañas?

CRISTÓBAL DE CASTILLEJO

Por iso, cando de nenos nos preguntaban
qué queriamos ser de maiores, os ollos ían
fuxidos do cárcere ao camposanto. Por
fin, atopaban a salvación no faro. E unha
voz interiore berraba: ¡Emigrante!

MANUEL RIVAS

Siempre hay un niño que envejece en
Madrid.

JOAQUÍN SABINA

Buscando visa la razón de ser, buscando
visa para no volver.

JUAN LUIS GUERRA

Soy la única que los entiende. Cuatro árboles flacos de flacos cuellos y codos pun-
tiagudos como los míos... Su fuerza es se-
creta. Lanzan feroces raíces bajo la tierra.
Crecen hacia arriba y hacia abajo y se
apoderan de la tierra entre los dedos pelu-
dos de sus pies...

SANDRA CISNEROS

En la esquina vive un muerto. Usa camisas verdes, zapatillas de deporte y cuando recién llegamos al barrio nos pedía dinero. Como nunca le hacíamos caso comenzaba a insultarnos y gritaba viva España cago en dios viva francu. Ahora cuando nos ve sólo grita. Ya sabe que nunca le vamos a regalar ni una moneda.

El muerto se murió hace unas semanas. Yo caminaba con Marianita Cunqueiro, mi vecina, que había ido a comprar unos folios. No sé muy bien de qué hablábamos porque cuando ella habla rápido me cuesta entender. Así que veníamos distraídos y yo tropecé con algo. En el suelo estaba tirado ese hombre. Llevaba en la mano unas bolsas, tenía la boca abierta y aunque el sol pegaba muy duro, no se movía. Comenzamos a llamarlo, a tocarle el hombro, pero nada.

Mi amiga me agarró por el brazo y corrimos hasta llegar al bar. Nadie supo lo que gritábamos. El señor Cunqueiro nos compró un refresco porque mi amiga hablaba rapidísimo y lloraba. Entonces escuchamos el ruido de una ambulancia.

Somaira bajó asustada del apartamento. Me llevó para darme leche tibia con azúcar pues la sirena de la ambulancia sonaba cada vez más duro, más duro, y tuve que encerrarme en el baño a matar hormigas porque sentía como una piedra dentro de la cabeza.

Pero ayer veníamos caminando Augusto y yo. Me estaba comiendo un helado y cuando crucé hacia mi calle, vi que de la tienda venía saliendo el muerto con una bolsa llena de cervezas. Primero se nos quedó mirando, luego se acercó con la mano extendida para pedirnos unas pelas, pero al saber quiénes éramos, el muerto empezó a gritar hijoputas vivaespaña hijoputas vivaespaña.

Augusto tuvo que correr mucho para alcanzarme.

El vecino del primero tiene mucha suerte. Así dice mi mamá, así dice Somaira.

El vecino del primero estuvo a punto de morir hace poco tiempo. Regresaba en el metro y un señor comenzó a golpear a una muchacha. Nadie hacía nada. La muchacha gritaba, intentaba escaparse, así que el vecino del primero trató de calmar al hombre. Luego comenzaron a discutir, a darse empujones. Cuando se acercaba el tren, al vecino lo empujaron en medio de las vías.

El vecino del primero perdió un pie. La cara también le quedó extraña. Como hacia un lado, como con un ojo más pequeño, una ceja más pequeña, un cachete más pequeño. Como no tenía nadie que se ocupara de él, los Cunqueiro y mi familia fueron a verlo al hospital. Luego lo ayudaron a venirse a casa pues temían que la policía lo encontrara y lo botaran para su país.

Somaira y mi madre se llevaban las manos a la boca cada vez que venían de llevarle algo de comer a su apartamento. Se ponían nerviosas, les daban unos temblores terribles. Yo me ofrecí a hacerlo por ellas. Cada tarde bajaba con un plato cubierto por una servilleta. Luego entraba al apartamento del señor y le dejaba la comida sobre la mesa. Él me daba las gracias, trataba de levantarse y arrastrando la pierna lograba llegar hasta la silla.

El vecino del primero sudaba mucho. Su apartamento olía a encerrado, olía igual que los zapatos de papá cuando regresa de trabajar.

Una tarde me preguntó si yo cantaba, me dijo que se aburría porque había tenido que vender el televisor. Traté de hacerlo, pero la voz me salía horrible, así que comencé a silbar. Estuve un rato silbando, un buen rato.

El vecino del primero no volvió a hablar y ni siquiera se despidió cuando yo recogí los platos y los cubiertos de mi mamá.

A mí me dio lástima, porque si mirabas por un lado al vecino, no notabas nada raro, pero si lo mirabas por el otro le veías la piel oscura, como un poco quemada. El vecino del primero tenía dos caras todo el tiempo, y no sabías cuál de ellas te estaba hablando.

El día que llegó la policía a buscarlo nos pegamos un susto y nos encerramos en los apartamentos sin hablar para que pareciera que allí no había nadie. Después se escucharon los pasos del vecino en la escalera. Unos pasos muy lentos, brincando con el único pie que le quedaba, y a mí me dio la risa que me da cuando estoy asustado, y Somaira tuvo que taparme la boca.

Pero al día siguiente el vecino apareció en la televisión con sus dos caras, saltando en un solo pie para darle la mano al alcalde y recibir su permiso de trabajo y una medalla porque él era un héroe. Después dieron discursos, tomaron fotos. El vecino sonreía con la mitad de la boca.

Por eso mi mamá y Somaira dicen que el vecino del primero tiene mucha suerte. Y mi papá dijo que ojalá le hubiese pasado a él ese tren por encima, y mi hermano Augusto se rió y dijo lo mismo.

Luego peleamos. El vecino no le devolvió a mamá unos platos. O dejó de saludarnos. O fuimos nosotros quienes no lo saludamos más. Y ahora no nos gusta ese señor y ya no es amigo nuestro. Pero siempre lo escuchamos subiendo la escalera poco a poco, brincando, con ese zapato nuevecito que ahora usa. Y lo oigo silbar. Unos silbidos muy grandes, afinaditos. Oigo silbar al vecino del primero. Feliz.

En Madrid cuando hace calor, hace calor calor calor.

Cuando hace frío, hace frío frío frío.

El calor de Madrid nos pone tontos. Nos sentamos en la sala junto a un ventilador enano que compró papá. Y cuando viene el novio de Somaira ella agarra el ventilador y lo lleva al balcón para que el señor ese no critique lo caliente que está nuestra casa.

Por eso nos ponemos bobos. Y yo me pongo malo. Me pongo rabioso. Me da mucha arrechera. Y al ver a mi hermanita Agustina que empieza a caminar no puedo aguantarme las ganas y le meto el pie para ver cómo se cae, cómo le suena la cabeza cuando se pega en el piso, o en la mesa, o contra la pared.

Lo que pasa es que ayer mamá me descubrió cuando le hice la zancadilla a Agustina. Y me pegó como cien correazos en las piernas hasta que Somaira se metió en medio y me llevó al balcón. Luego mi hermana me pellizcó, me dijo que no fuese malo.

Lloré un rato.

Debe ser el calor. En la otra ciudad yo era bueno. Yo no hacía esas cosas.

En mi país yo tenía un amigo llamado Manuel.

Manuel era más bien amigo de mi hermano. Tenían la misma edad y chiquitos jugaban juntos. Además cuando los Serrano quisieron matarnos, Manuel nos salvó. Pero Manuel había dejado los estudios apenas al empezar y Augusto no conversaba con él. Decía que se fastidiaba, que Manuel sólo hablaba de putas, o de béisbol, o de las cosas raras que se encontraba en la basura de la gente.

Lo que ocurre es eso. Manuel trabajaba recogiendo basura, y una tarde llegó cansado y se compró una pepsi-cola en la bodega. Alguien le dijo que revisara en la etiqueta porque desde hace meses estaban rifando un carro. Entonces Manuel pensó que era un chiste, les pidió a todos que no se burlaran de él, y después de un rato empezó a dar gritos, a brincar.

A los días apareció con el carro. Un carro verde, brillante como una manzana.

Todos paseamos. Dimos vueltas, corrimos por las calles de la zona industrial y hasta nos atrevimos a pasear por la avenida porque Manuel ya sentía que manejaba mejor.

Pero una noche Manuel se emborrachó y quiso ir solito hasta el centro. Se estrelló contra un aviso. El carro quedó arrugado, igual que una pasa.

Entre varios muchachos lograron traerlo empujado porque mi amigo no tenía para pagar una grúa.

El carro quedó en el estacionamiento de su casa. Llevó sol, lluvia, se llenó de tierra. Luego le salieron unas manchas rojas que olían feo. Pero Manuel todas las madrugadas seguía asomándose en la ventana a vigilar su carro para que nadie se lo robara.

Luego dejó de decir que lo iba a mandar al taller. Pero siguió asomándose cada noche para verlo. Lo miraba un buen rato, callado, y después cerraba la ventana poco a poco.

Es raro, pero pienso en el carro verde y en mi amigo Manuel y algunas veces quisiera estar allá para reírme de mi amigo, cada madrugada contemplando su carro que ya no parece una manzana brillante, sino una pasa, una pasa arrugada que huele a óxido.

Desde anoche mamá no deja de llorar.

Nosotros le preguntamos qué pasa, le pedimos que nos diga si le duele algo, pero ella sólo nos mira y luego cierra la puerta del cuarto.

Igual la escucho. Se queja un poco, empieza a toser, luego se queja otro poquito, luego tose.

Mi hermano Augusto no dice nada. Lo veo fumar mucho, después suspira, enciende otro cigarrillo que fuma hasta quemarse los dedos y entonces se asoma al balcón.

Desde que el vecino del primero casi se muere, desde que Agustina tuvo la lechina acá no se veía tanto movimiento, tanta quejadera, tantos ojos rojos. Nadie sabe lo que ocurre. Por eso miramos la televisión y nos quedamos muy quietos, como esperando algo.

Pero es todo tan extraño. Mi hermana Somaira lo único que hace es subir el volumen para que no se oigan los quejidos de mamá. Y el edificio está muy solo, y yo trato de conversar con alguien, pero todos me piden en susurros que me calle, que hable bajito, muy bajito.

Me encierro en el baño. Comienzo a matar las hormigas que se esconden cerca de la ducha pues espero que alguien toque la puerta y me grite que salga. Sólo que llevo aplastadas ocho hormigas y nada ocurre.

Luego voy a la sala, miro cómo mi hermano Augusto se marcha dando un portazo. Cuando lo veo perderse entre los coches de la calle, me asusto porque hoy en la tele pasan el fútbol y que mi hermano se pierda el fútbol quiere decir que algo malo está pasando.

Y yo entro de nuevo al baño a matar hormigas, a aplastarlas, para que no quede ninguna, para que Somaira grite mañana cuando entre en la bañera y vea todo lleno de puntos negros.

Pero mi mamá llora mucho encerrada en el cuarto.

Ella es blanca y tiene un lunar cerca de la boca.

Se llama Pilar y vive en el bajo. Sus padres estuvieron en mi país. A veces nos pregunta cosas, o se ríe recordando palabras, o lugares que ellos le han nombrado.

Mi hermano y ella son muy juguetones.

Augusto siempre la acorrala en la escalera y me pide que yo vigile la puerta. Entonces yo duro un rato sin quitar la vista de la calle, pero luego me asusto al escuchar que respiran tan fuerte, que maúllan, que ella comienza a blanquear los ojos. Así hasta que Pilar pega un gritico y comienza a resoplar sobre el hombro de mi hermano.

Entonces ella se vuelve normal otra vez. Me mira con el rostro colorado, pero yo siento que las piernas me tiemblan. También quiero tocarla. Entonces mi hermano se despide, me pasa el brazo tras la espalda, me lleva a comer dulces.

Y yo no la olvido. Yo no la olvido cuando comienza a blanquear los ojos, cuando comienza a blanquear los ojos.

A Somaira le gusta llenar crucigramas. Desde siempre la recuerdo con un bolígrafo llenando crucigramas. Pasa mucho rato y aprieta los ojos como intentando descubrir las palabras que le faltan.

Los crucigramas de mi hermana terminan medio vacíos, porque ella se aburre y en vez de las palabras comienza a hacer dibujitos: caras, lunas, estrellas, triangulitos.

Cuando Augusto está en casa, Somaira le pide ayuda. Él le dice una o dos palabras y luego se fastidia, entonces Somaira comienza a hacer dibujos.

Pero otras veces mi hermano se sienta con ella y los dos terminan de conseguir todas las palabras. Y entonces Somaira nos abraza. Se ríe. Se pone muy feliz y cuando se ducha comienza a cantar.

Somaira es delgada. Somaira tiene el cabello amarillo porque su papá no es mi papá y cuando voy con ella los hombres la miran mucho. Así que yo la agarro muy fuerte de la mano y pongo cara de tío cabreado para que nos dejen en paz.

En la otra ciudad donde vivíamos antes, unos hombres empezaron a decirle cosas a mi hermana Somaira y Augusto peleó con ellos. Se dieron golpes un rato, se empujaron, pero uno de los tipos tenía una navaja y Augusto llegó a casa con la camisa llena de sangre.

Luego el médico dijo que había tenido suerte porque sólo le habían hecho una raya en la barriga.

Somaira más nunca quiso salir con Augusto.

Iba sola, o con sus amigas, o con un novio que tuvo y que se despidió llorando cuando agarramos el avión para venir hasta Madrid.

Somaira desde hace un tiempo tiene otro novio. En verano se la pasan juntos en el balcón. Yo creo que ella ya no recuerda al chico que quedó allá. A mí me da un poco de lástima porque era simpático, me estaba enseñando a jugar baloncesto.

Ahora mismo mi hermana Somaira está llenando un crucigrama, pero ya empezó a suspirar. Sé que se está fastidiando. En un rato comenzará a hacer los dibujitos.

Los Prados viven aquí desde hace muchos años. Eso escuché decir. De cuando en este barrio sólo vivían españoles y había un hombre llamado sereno que tenía las llaves de todos los portales.

El papá de los Prados siempre bebe cerveza.

Ismael es el más chiquito de los hijos. También escuché decir eso, pero yo jamás le presté mucha atención a esa gente, y eso que su balcón queda frente al nuestro.

Me parece que fue en el invierno. No lo sé. Tendría que preguntarle a Augusto y él ahora está trabajando. Pero los dos mirábamos la tele (en esta casa siempre hay alguien mirando la tele), y escuchamos un ruido.

Justo enfrente, un hombre estaba dándole una paliza a Ismael. Lo empujaba, lo cacheteaba, lo pateaba. Augusto salió al balcón a gritarle a aquel hombre que dejara en paz al chico, pero él respondió que era el padre y que se fuera a tomar por culo.

Luego creo que mamá llamó a la policía, pero durante todo ese tiempo a Ismael lo estuvieron batiendo contra el suelo y su cabeza sonaba como un coco lleno de agua. Traca, trac, traca, trac. A mí me parece que Ismael tenía los ojos muy abiertos, como si pensara que así le dolerían menos los golpes. Pero después de un rato parecía como dormido y uno de los brazos le quedó colgando entre las rejas del balcón.

Eso sí me dio miedo. Ver ese brazo, guindando, como muerto, como una gallina en el mercado. Entonces ya no quise ver más.

El papá de Ismael estuvo preso esa noche. Luego salió libre y yo me asusté porque pensé que vendría a buscarnos pleito, pero cuando veía a mi hermano bajaba la cara.

Ismael salió del hospital a los quince días. Dicen que no quedó igual. Yo no lo sé. Nunca había hablado con él. Ahora parece bobo, parece un subnormal. Todas las mañanas baja a un banco de madera que hay en mi calle y se sienta con un libro que nunca abre y comienza a hablar solo, horas y horas hablando solo.

Los otros chicos lo escupen o le tiran encima cacas de perro. Él los mira y sigue hablando solo. Horas y horas se la pasa conversando. Quizás lo hace para no subir a su casa y ver otra vez a su papá.

Yo cuando sé que algo se pudrió en la nevera: un tomate, un huevo, una patata, agarro lo que sea y calculando muy bien, miro hacia donde está Ismael y se lo lanzo encima. Siempre le queda la camisa pringada, llena de manchas.

Algunas veces, los otros chicos de la calle me aplauden cuando le acierto a Ismael en medio de la cabeza. Entonces yo los saludo y después en el recibo de la casa hago un avioncito como esos futbolistas que marcan el gol en el último minuto.

Pero pienso en ese brazo colgando en el balcón.

Y otra vez me da miedo.

Decían que aquel señor tenía una pata de palo. Por eso caminaba tan extraño, por eso se paraba en las esquinas para tomar aire.

Yo nunca lo supe. Lo miré muchas veces, pero él veía hacia todas partes, como buscando a alguien.

Siempre se sentaba en la esquina de la casa. Somaira o mi mamá le llevaban comida. Le regalaban cigarrillos, le brindaban café en una tacita que nunca más podíamos volver a usar.

Yo jamás me le acercaba porque olía a chivo. Siempre llevaba la misma ropa y decían que debajo no tenía piel de gente, que en los zapatos rotos le asomaban las pezuñas, que lo habían visto por la zona industrial comiéndose las maticas de orégano que salían en los terrenos.

Cuando crecí, mis amigos y yo le gritábamos cosas, lo amenazábamos con un garrote, y él seguía caminando muy lento, como si no pudiese vernos.

Una tarde íbamos detrás de él y apareció Augusto. Comenzó a caminar junto a ese hombre, a hablarle de algo. Mis amigos se aburrieron de gritar y creo que se asustaron un poco cuando mi hermano les hizo una seña para que dejasen de fastidiar.

Yo me quedé escondido mirando a mi hermano. No quería acercarme porque imaginaba que el aire olía a chivo, olía feo. Mucho más cuando vi que aquel hombre se sacaba de la camisa una botellita de aguardiente y le brindaba un trago a Augusto.

Luego se hizo de noche. De repente. Como cuando alguien apaga una bombilla. Y había muchas estrellas. Y relámpagos. Entonces era de día y otra vez era de noche. Plash, los relámpagos. De día. Y otra vez noche.

Mi hermano me vio escondido. Me hizo una seña para que me acercara. Se llenó los dedos con el aguardiente del señor y me lo colocó en la boca. «Toma, para que no seas un pendejito», dijo y sentí igual que cuando desde los tizones del fogón de mamá saltaba una chispa y me quemaba.

Augusto señaló al señor extraño: «conócelo, se llama Marinferínfero», y el viejo me dio su mano, una mano muy fuerte, mucho más fuerte que la de mi papá, y vi que tenía los ojos llenos de candelas.

Por eso yo más nunca lo volví a perseguir ni le grité nada.

Marinferínfero. Marinferínfero.

Hasta lo saludaba de lejos cuando lo veía. Aunque muchas veces olvidaba su nombre. Tan largo. Su nombre, que era más largo y más largo que la calle más larga de aquella ciudad donde vivíamos antes.

Arriba viven los Cunqueiro. Ellos también son españoles, pero nunca se les oye peleando como los Prados.

Los Cunqueiro son tres. La mamá, el papá y la chica rubia que usa gafas, que se llama Mariana y que hace tiempo me regaló un chupachús cuando nos encontramos en el ascensor.

Mi mamá dice que son una gente educada, y es que siempre dan los buenos días, y el señor cuando ve a mi mamá o a mi hermana cargadas de paquetes corre para abrirles la puerta de la calle.

¿Quién te regaló esa chupeta? me preguntó Somaira esa vez cuando llegué a la casa. Los Cunqueiro, le dije yo y después me quedé callado porque no me gusta que me vigilen.

Luego me asomé al balcón y miré a Ismael sentado en el banco de siempre, hablando solo, con el libro cerrado sobre las piernas. Por un momento estuve a punto de lanzarle el chupachús en la cabeza, pero me acordé que me lo acababan de regalar y me quedé un rato sintiendo el sabor a fresa, imaginando que la lengua se me ponía roja como la de un vampiro.

Al rato subí la mirada. Descubrí que Mariana me estaba mirando desde su balcón. La saludé, ella me saludó. Me preguntó si me gustaba el chupachús.

Hablamos no sé de qué y ella me dijo que yo tenía un acento muy bonito. Yo me quedé callado porque no sabía qué es un acento, y cuando entré a casa le conté todo a Augusto. Él se sonrió. ¿Ya tú también vas a empezar a ligar?, me dijo y yo le lancé una patada porque no, porque a mí no me gustan las niñas con gafas, porque no me gusta Mariana, y entonces fui a la cocina y boté el chupachús en la papelera.

De todos modos al final me contenté con Augusto: es mi hermano y además yo quería saber qué es un acento bonito.

Mi papá estaba bravísimo, tenía una arrechera gigante y empezó a patear las sillas y rompió un angelito de cerámica que mamá guardaba desde mi bautizo.

Yo no supe bien qué pasaba, hasta que a los dos días descubrí que mis hermanos seguían sin venir a la casa. Comencé a preguntar por Augusto, a preguntar por Somaira y mamá dijo que no preguntara tanto, que me quedase callado.

Recuerdo que para que dejase de fastidiarla mi madre hizo empanadas, recuerdo que hasta jugó conmigo en el patio, y eso que hacía calor, pues allá siempre hace calor y a uno se le pega la camisa cuando suda. Pero yo me fastidiaba y preguntaba por Augusto.

Volvieron después. Como a los tres días. Papá le pegó a mi hermano con una correa porque Augusto todavía no era tan grande como ahora que vivimos en Madrid. Le sacó sangre, pero mi hermano no soltó ni una lágrima y no le contó dónde habían estado.

Nunca más se habló de eso, pero yo escuché a mis hermanos riéndose escondidos, y se reían, y se reían muy felices y yo no los recuerdo tan felices como esa vez. Una tarde cuando estábamos paseando por la zona industrial me mostraron unas fotos. Allí estaba Augusto con una noviecita italiana que vivía cerca de la casa, y Somaira con su novio gigante que jugaba baloncesto. Los cuatro aparecían abrazados, en traje-baño. Yo pregunté qué era eso azul que se veía atrás y me dijeron que era la playa. Y empezaron a reírse recordando cosas, y Somaira se burlaba porque Augusto casi no sabía nadar, se reían mucho, porque habían tenido que devolverse cuando se les acabó el dinero, y se reían, pero no era igual, porque salían tan contentos en las fotos que ahora yo los miraba y parecían un poco tristes.

Me pidieron que no contara nada. Se los prometí. Yo nunca lo dije, pero las fotos no volví a verlas nunca más, hasta que una tarde encontré a mi mamá en el cuarto de mi hermano. Ella me entregó un sobre y me dijo que lo botase lejos, que tuviese cuidado porque si mi papá descubría eso se arrecharía.

Yo me fui con el sobre. Lo abrí. Eran las fotos. Ahora se veían pálidas. Como sucias. No quise botarlas y las guardé en una pared llena de huecos que había cerca de la escuela. Esa noche le conté a mi hermano y al día siguiente fuimos a buscarlas, pero yo no recordaba en cuál hueco las había puesto. Al rato nos fastidiamos y Augusto empezó a fumar. Creo que fue la primera vez que lo miré fumar. La mano le temblaba un poco, pero fumaba muy bien. Yo le dije que hiciera un circulito con el humo y él estuvo un rato intentándolo pero no supo. Y desde ese día yo le guardé los cigarrillos en el tercer hueco de arriba abajo para que en la casa no lo descubrieran. De eso no me olvidé nunca. Pero las fotos jamás aparecieron.

Después, cuando empezó a trabajar, a mi hermano no le importaba fumar frente a mis papás. Después tumbaron esa pared. Una gente del Concejo Municipal hizo una cancha de voleibol. Yo iba cuando la estaban construyendo, para mirar, pero nunca encontré nada, y Augusto y Somaira me dijeron que lo dejara así, que no me preocupara por eso.

–Chévere cambur –grita mi padre y yo corro para abrazarlo.

Me gusta cuando me llama así en plena calle porque nadie nos entiende.

Sólo él y yo (bueno... y mis hermanos, bueno... y mi mamá... bueno... y las muchachas y las viejas que alquilaron el cuarto) comprendemos ese grito.

Mariana me preguntó un día qué significaba y yo no supe explicarle. Chévere cambur es chévere cambur. Es mi papá que regresa, es mi papá cuando vamos a comer solomillo, es mi papá cuando le llevo una cerveza helada junto al televisor.

Mariana me dijo que chévere cambur es tope guay, pero no supe qué decirle.

No comprendo por qué hay que explicarlo todo.

Chévere cambur es chévere cambur y ya está.

Chévere cambur chévere cambur chévere cambur.

1

–Domitila, ¿tú crees que nos oyen?

–Duérmete, mujer, duérmete.

–No tengo sueño. Ya sabes que cuando las muchachas no vienen a cenar me cuesta dormir.

–Seguro que se quedaron en el cine.

–Deberían vivir más tranquilas. Tanto agite. Eso no puede ser bueno.

–¿Y qué van a hacer?

–Oye, Domitila...

–Dime.

–¿Tú crees que estas gentes nos oyen?

–Mujer, yo qué sé. Faltaría más. Las muchachas pagan su alquiler religiosamente. Ya sabes lo formales que son. En casa siempre se les enseñaron buenas costumbres.

–No, si yo no digo que tengamos que estar mudas. Ya yo sé que pagamos. Pero me da vergüenza que esta gente escuche lo que decimos. Sobre todo por la muchachita. No le gustará que uno comente sus cosas.

–¿Muchachita? La hubieses visto anoche. Las muchachitas no se le montan encima a los novios.

–¿Se le montó encima? ¿Y la familia estaba allí?

–No, mujer, tú sabes que en esta época los dos se van al balconcito. La verdad no sé cómo harán en invierno. Si es que en esta casa no hay un minuto de tranquilidad. Pero como hace calor ahora ellos salen a tomar fresco y allí aprovechan para sus asuntos.

—Es que por allí puedes sacar cuentas. Un hombre con buenas intenciones no hace visitas en el balcón.

—Eso digo yo. Pero a ver quién pone orden en esa familia.

—El hijo mayor es muy buena persona, muy gente, muy educado.

—No, si yo no tengo quejas de ninguno. Ni siquiera de la muchachita. Más bien me da un poquito de lástima verla tan ilusionada. Ya sabe una cómo terminan esos asuntos.

—Una barriga.

—Claro, ¿qué más puede pasar?

—Pero a mí ese hombre no me gusta como para ella. Si debe llevarle quince años.

—Bueno, el finado a mí me llevaba eso.

—Pero no vas a comparar tú a Rafael, que era un hombre formal, trabajador, con este bicho que ni sabe una de dónde sale ni qué es lo que busca.

—Es verdad. Yo sé que al hermano de ella el asunto no le termina de gustar. En estos días se lo estaba reclamando.

—Hace muy bien.

—Ya, y tú sabes cómo son algunas mujeres. Ella no les ha contado en casa la verdad.

—No te creo, Domitila. ¿La familia no sabe que él es casado? ¿Ni siquiera la mamá?

—No, no lo sabe. Ella no lo dice porque sabe que eso está mal. Pero el hermano mayor descubrió el asunto. Yo pensé que se iba a armar un escándalo, pero mira tú qué raro, el muchacho se quedó callado y sólo lo habló con ella.

—¿Y la niña qué le dijo?

—Bueno, que era verdad lo del matrimonio, pero que esa pareja se llevaba muy mal, que él se estaba divorciando, que había un asunto de unos papeles que había que buscar en la embajada.

—Ay Dios... si es que estos hombres...

—Eso digo yo. Bueno, así son algunas mujeres. Yo imagino que ella estará intentando acabar con ese matrimonio.

—Eso es pecado...

—Ah pues, no me vengas con eso ahora. Cuando tu hija se enamoró...

—No es lo mismo.

—Ya, ya. Cada quien ve la paja en el ojo ajeno.

—...

—...

—...

—Bueno, quita esa cara. No te irás a molestar ahora.

—Es que no me parece que mi hija y esta niña sean el mismo caso...

—Perdona si te ofendí. Yo sólo quería decirte que con la vara que mides serás medido. La niña querrá tener su propia casa. Ella no tiene la culpa si el hombre ya estaba con otra.

—...

—Bueno, si vas a seguir molesta, pues nos dormiremos. De aquí a un rato llegarán las muchachas y a mí cuando estamos las cuatro en la cama me cuesta mucho descansar. Yo creo que a esta edad una quiere muy pocas cosas, pero me gustaría un colchón para mí sola.

–No estoy brava. Es que estaba pensando en si esta gente nos escuchará cuando hablamos. Me daría mucha pena, Domitila.

–Ay, cuando agarras un tema no lo sueltas.

–Bueno, descansemos un poco. Tienes razón, cuando llegan las muchachas a mí también me cuesta volver a dormirme. ¿Prendemos un poquito el ventilador?

–Baja la voz, mujer, baja la voz.

–Ves, tú también sospechas que ellos nos oyen.

–Baja la voz. Préndelo un poco, pero en la velocidad más baja. Me ahoga este calor. Uf, esto es horrible, mujer.

Una noche mi hermana me despertó. Tenía los ojos muy abiertos y respiraba muy fuerte, como si se estuviese ahogando. Detrás de ella apareció Augusto y me montó sobre su espalda. Luego los tres salimos corriendo. Llovía duro, muy duro y la lluvia me mojó la ropa.

Después ya no recuerdo demasiado (de eso hace mucho tiempo, vivíamos allá todavía), pero las calles estaban llenas de un agua color café con leche y había un ruido gigante. Entonces creo que vi pasar una lavadora y la camioneta de papá, y el perro de los vecinos y unas chancletas azules que mi hermano usaba mucho.

Mi mamá lloraba porque papá quería devolverse a buscar el televisor, pero los bomberos no lo dejaron pasar.

Después nos pusieron a vivir en un edificio. A mí me gustaba montarme en el ascensor. Subir, bajar, subir, bajar. Me gustaba mucho pero un día Somaira y yo nos quedamos encerrados y ella empezó a dar gritos hasta que el conserje logró sacarnos.

Del edificio también me gustaban los pasillos que llevaban a los apartamentos, porque en vez de paredes tenían colmenas y en las tardes el piso se llenaba de cuadraditos de sol. Muchos cuadraditos amarillos.

Así que ya yo me fui olvidando de la lluvia, y de esa noche con tanto frío, y de los ojos asustados del perro de los vecinos que trataba de nadar y que no apareció nunca porque dicen que el aguacero arrastró todo hasta el mar (que es un sitio muy azul y con mucha agua que yo no conozco y donde mi familia siempre promete llevarme).

Por eso yo creo que nos gustaba vivir en el edificio, porque la lluvia no nos asustaba. Pero un día llegó un señor y le comentó a papá que debía empezar a pagar si queríamos seguir allí. Papá se puso bravo, entonces le dijeron que si conseguía una carta de algún político nos dejaban seguir viviendo gratis.

Después de mucho intentarlo papá consiguió la carta, pero entonces ya no servía porque ahora estaban mandando los militares, y nos pidieron que lleváramos una carta nueva, una carta de algún capitán, de algún teniente.

Esta vez papá no pudo hacer nada. Al edificio vino a vivir gratis la gente que consiguió cartas de coroneles.

A nosotros nos sacaron.

Volvimos a la casa. Estaba casi completa. Pero en las paredes todavía se veían las manchas del agua, unas manchas marrones, unas costras que mi mamá y Somaira fueron quitando con esponjas de metal.

Papá compró unos pocos muebles y aunque la casa se veía muy grande porque casi no teníamos cosas, nos fuimos acostumbrando de nuevo, y yo casi que no recordaba el edificio, porque también la gente de las otras casas comenzó a regresar y fue como si todos olvidáramos que la lluvia y el río habían atravesado el barrio.

Después se me confunden las cosas. Es decir, me acuerdo que tuvimos que agarrar el avión y venirnos para acá pues mi hermano estaba en una fábrica de galletas y lo botaron y se quedó sin trabajo. ¿O fue que en la casa apareció un papelito en el que decían que nos iban a quemar? ¿O eso fue después? ¿O más bien antes de que mi papá peleara con los Serrano, la familia esa que vendía chicharrones de cochino? No estoy seguro. Ya le preguntaré a Somaira cuando regrese del Híper.

Ahora vivimos otra vez en un apartamento, pero acá el ascensor es viejísimo y algunas veces no funciona. Eso no me importa. Lo que sí me gustaría es que en vez de paredes hubiese una colmena y el piso se llenara de cuadraditos de sol, de muchos cuadraditos amarillos.

Augusto suelta las carcajadas cuando se lo cuento. Luego se pone triste y queda murmurando.

Pero aquí no se nos inunda la casa, le digo para que se sienta mejor, entonces Augusto no me oye, el sol de allá, repite, el sol.

Mariana me llevó al bar y me invitó a un sándwich vegetal. Le dije que no. Odio los vegetales. En la casa tuvimos épocas sólo comiendo vegetales. Cuando llegamos a Madrid, cuando vivíamos en la otra ciudad. Vegetales, vegetales. Yo apenas veo un plato lleno de maticas verdes, de tomaticos, o cosas de ésas y sé que si no hay segundo plato mi mamá estará de mal humor, papá andará furioso, y a Somaira se le irá la comida en puro suspirar.

Pedí un pincho de tortilla y en eso aparecieron mi hermano Augusto y su amigo Jesús. Los dos trabajan construyendo edificios, construyendo piscinas. Por eso venían cansados, venían rojos, así que se tomaron cuatro cañas seguidas y se comieron como dos millones de montados de lomo, de chorizos, de boquerones. Antes de irse a casa jugaron al futbolín conmigo y con Mariana y pidieron un tinto.

En el futbolín Mariana les gana a todos. Yo apenas muevo los muñequitos, porque con Mariana nadie puede y mi hermano cuando le hicimos un gol se movió y tumbó su copa. La copa salió volando, dio cinco vueltas, pegó en la pared y cayó en el suelo, pero no se rompió y ni siquiera se botó una gotica de vino.

Jesús y mi hermano empezaron a reírse. No podían creer lo que había pasado. Augusto se bebió el vino de un trago y dijo que se iba a descansar. Yo subí con él y en la escalera mi hermano contó que era la segunda vez que le pasaba eso, que ya otro día se le cayó una copa y que tampoco se rompió ni se botó ni un poquito. Lo raro es que esa vez también estaba tu amiguita, esa vez también estaba Mariana mirándome, dijo Augusto y se quedó un ratote pensando. Por eso cuando le pregunté si a él le gustaban los vegetales no me dijo nada. No me contestó. Y eso que mi hermano cuando ve que aquí en Madrid le sirven un plato con lechugas empieza a gritar: yo no soy tortuga, carajo, yo no soy tortuga, se llevan esta vaina.

Allí estábamos los tres: Augusto, Pilar y yo.

Nos sentamos en las escaleras y yo sabía que en cualquier momento ellos se irían al descanso y yo debería vigilar la entrada del portal. Pero Pilar le preguntó a mi hermano por qué habíamos salido de nuestro país. Augusto dio un suspiro muy grande. Yo aguanté la risa. Él piensa que cuando suspira parece un hombre mayor.

Por un jueves, dijo mi hermano. Porque desperté un jueves, dijo Augusto, desperté a hacer pipí y dentro de la poceta había un militar; fui a la cocina y en el horno había un militar; me monté en el ascensor y encontré un militar; salí a la calle y en cada parada había un militar; me monté en un autobús y entre los asientos había un militar; y caminé todo el día y como no conseguí trabajo después fui al cine y en la pantalla y en las sillas y vendiendo las palomitas de maíz y acomodando a la gente, apareció un militar; y cuando llegué cansado esa noche en la televisión estaba hablando un militar; y cuando me acosté, entre las cobijas se había escondido un militar.

Todo eso dijo mi hermano. Porque él siempre dice mentiras.

La chica lo miró con una mirada rara. Quizás se dio cuenta de que Augusto exageraba mucho. Yo lo sabía.

Yo no recuerdo nunca militares en mi casa. Sólo recuerdo moscas. Con lo que odio yo las moscas, claro. Pero militares había muchos en la ciudad, eso sí, pero no en todos los sitios donde dice mi hermano. Además, al principio, mi papá y Augusto me llevaban a los desfiles. Entonces yo saludaba, aplaudía. Todos saludábamos y aplaudíamos. Hasta que pasado un tiempo, mi hermano Augusto empezó con que estaba aburrido de tanta bandera, de tanta pendejada. Pero yo no comprendí, y mi mamá me hizo prometer que no repitiese nunca nada de eso, mucho menos lo que después empezó a decir Augusto, que si éstos eran tan ladrones como los que estaban antes, que si éstos eran también más fastidiosos. Así que más nunca en la casa me llevaron a los desfiles. Igual yo iba, porque ahora en la escuela nos montaban en un autobús y tomaban lista para ver si alguien faltaba, y los viernes en el colegio nos ponían a saludar la bandera, nos ponían a marchar, y a los más grandes los iban enseñando a manejar pistolas.

Por eso la muchacha miró a mi hermano muy raro esa tarde. Una tarde extraña. Él no se fue con ella al descanso. Se quedó quietecito, con la cabeza sobre las rodillas de la chica. Y todos estuvimos muy callados, muy tranquilos, y eso que yo hubiese preferido ver a Pilar blanqueando los ojos.

Para mí que Augusto había quedado triste.

Y ahora yo nunca le pregunto por qué tuvimos que venirnos.

Yo no entiendo por qué lloran.

Beben cerveza, ponen música y luego lloran. Incluso mi hermano Augusto llora y eso que él es distinto a todos en la casa.

Dicen que tienen nostalgia, que recuerdan aquello (así dicen siempre, aquello, para hablar de donde vivíamos antes), y que a pesar de todo somos de allá.

Yo esto lo entiendo menos que nada. ¿Somos de allá? ¿Qué quieren decir con eso? ¿Es bueno, es malo?

Pero lo que más me cuesta comprender es lo de la nostalgia que tanto repiten y que mi hermano tuvo que explicarme.

Allá siempre había moscas. Todo el año. Aquí sólo en verano, pero allá todo el tiempo. Moscas, moscas, moscas.

Salías al patio: moscas. Ibas a comprar algo a la bodega: moscas. Entrabas en el baño: moscas. Mirabas a Agustina beber su biberón: moscas.

Yo odiaba las moscas.

Por eso no entiendo tanta nostalgia.

Yo no quiero volver a la ciudad de las moscas.

Y una tarde mi papá me dio una cachetada cuando dije eso, y ni siquiera mi hermano Augusto intentó defenderme.

Pero yo odio las moscas. Que lo sepan.

Detesto las moscas.

JURAMENTACIÓN DE LOS NIÑOS PATRIOTAS

Lugar: Teatro de los Héroes.

Invitados especiales: El espíritu inmortal de nuestro prócer de la independencia.
Y el heredero de su gloria, nuestro Comandante en jefe y Presidente de la República.

Participantes: Cinco mil niños patriotas de las escuelas populares.
Se les recuerda a los participantes que deben ir vestidos con los colores de la bandera, y deben llevar cuatros, arpas, maracas, el uniforme de instrucción pre-militar y mucho, mucho amor a la patria...

PROGRAMA:
— Juramento de fidelidad revolucionaria.
— Entonación del himno MORIR POR LA PATRIA ES VIVIR del Coronel Luis Alberto Armas.
— Palabras del Comandante y Presidente de la República.
— Escenificación de la obra teatral escrita por el Comandante y Presidente de la República: LA PATRIA ES UNA MUJER Y POR ESO HAY QUE QUERERLA, a cargo de cadetes de las cuatro fuerzas y con la participación de niños patriotas.
— Entrega de un mercado popular a cada niño consistente en productos cárnicos, dos litros de leche, un paquete de harina y un litro de aceite de girasol (se exige puntual asistencia).

(Papel de periódico con el que envolví mi guante de béisbol que en Madrid nunca uso. Ni los lunes, ni los martes. Ya nunca.)

Qué lástima: ponerse tan triste mamá en estos días. Justo cuando mi padre tiene tanto trabajo que ni los fines de semana viene a Madrid. Justo ahora. Si él estuviese no habría este silencio en la casa, esta gente suspirando, esta gotera en el grifo del lavamanos.

Somaira dice que mamá tiene un dolor en la barriga y que por eso lloraba anoche. Augusto me mira a la cara, me dice que sí, que un dolor, que deje de preguntar.

Lo único bueno es que nadie se pelea por la televisión, que nadie se pelea por el baño. Ni siquiera las mujeres del cuarto alquilado. Acá parece que se murió todo el mundo y nadie se ha dado cuenta.

Yo camino hasta la caldera y miro si la llama está azulita, o si se puso amarilla como en la casa de los señores muertos de la otra esquina, y ya nos asfixiamos y nos quedamos dormidos mientras Augusto fumaba un cigarrillo, y Somaira dibujaba sobre el crucigrama, y mamá lloraba en el cuarto, y yo descansaba viendo las hormigas que salen por un huequito que hay en la pared del baño.

Pero la llama es azul, como siempre, además es verano. Todas las ventanas están abiertas.

Entonces yo le pregunto a Augusto cómo sabe uno cuándo se está vivo y cuándo se está muerto. Él me da un golpe suave en el hombro y me dice que no pregunte chorradas. Por eso pienso en mi papá. No se dice chorradas, pendejos, se dice no preguntes güevonadas.

Porque cuando te dicen esas cosas es porque no tienen ni idea, no saben qué responder.

Que me calle, que salga a jugar un rato, me gritan, que no ladille, que no siga dando la lata, carajo, que me vaya.

Y casi que me gustaría que la llama se pusiera amarillita. Para no avisarles. Para que se mueran un rato. Todos. Que se mueran. Bueno, menos mi hermano Augusto, y tampoco Somaira, ni mamá, y tampoco papá. Pero un ratico muertos. Todos. Menos Augusto, claro.

Mariana tiene el cabello clarito. Mariana es catira, y ella se ríe cuando se lo digo. Qué palabra más rara, dice y se agarra el cabello, y lo mira y lo mira.

Muchas tardes subo a su casa a ver televisión, o a jugar con su ordenador. Siempre su madre nos hace una merienda: un bocata, un sándwich con colacao. Y algunas veces vamos juntos al parque, a pasear a la abuelita de Mariana que está muy vieja y habla sola, como este chico Ismael que el padre dejó tonto por el montón de patadas que le dio una noche.

Mariana y yo empujamos la silla de la señora, y luego comenzamos a hablar. Por eso supe que a la abuela de mi amiga no le pegó nadie, sino que ella se fue poniendo así, de tanto arrugarse, de tanto ser vieja y hablar sola. Y un día ya no caminaba y no se le entendía lo que dice.

Luego Mariana me presta su monopatín. Después de un rato me caigo, mi amiga se lleva las manos a la cara y yo veo que los mofletes se le ponen colorados.

Cuando regresamos venimos cansados de tanto correr. Ya ninguno de los dos quiere empujar la silla de ruedas de la abuela, así que la madre de Mariana es la que se ocupa. Muchas veces el sol se va poniendo rojo, pequeñito, y yo siento algo raro, como ganas de dormir y no dormir, como ganas de volver a mi casa y de no volver.

Algunas veces el brazo de Mariana tropieza un poquito con el mío, pero ella no se da cuenta porque va agarrándose el cabello, va diciendo muy bajito: «catira, catira, catira», y es que le gusta decirlo, le gusta repetir esa palabra, como cuando uno tiene un chocolate y lo va derritiendo poquito a poco en la boca, para que alcance todo el camino hasta la casa y el sabor dure siempre, mucho rato.

Papá usa dos cadenas de oro. Una muy gruesa, la otra un poco más delgada.

Las compró hace años y nunca se las quita, ni siquiera cuando se baña. Por eso siempre lo mira uno con las cadenas, allí, en medio de los pelos que él tiene en el pecho. Entonces cuando le cae agua, las cadenas no se ven pero al rato aparecen y se mueven cuando papá se ríe durísimo, tanto que mamá le pide que baje la voz y él se molesta, entonces se le marcan las venas del cuello y las cadenas de oro se mueven.

Cuando vivíamos allá, papá llegó una noche muy tarde. Yo estaba dormido, pero me desperté porque en la calle se escuchaban los gritos. Mi hermana Somaira y yo abrimos la ventana y vimos que los Serrano querían quitarle las cadenas de oro a mi papá.

Él comenzó a gritarlos, porque también parecía haber bebido cerveza y cuando el que llaman Sammy se le vino encima, papá le lanzó un manotazo rapidísimo que sonó como un golpe sobre una pipa llena de agua. Sammy quedó como mareado. Papá le dio otra vez con el puño. Entonces Sammy cayó de espaldas sobre sus hermanos y como estaban borrachos se cayeron unos encima de otros y el más pequeño se golpeó el brazo contra la acera.

Los gritos fueron tan grandes que la gente salió de las casas. El menor de los Serrano tenía el brazo inflado, así que Sammy se montó en una moto y lo llevó al hospital, pero antes de irse señaló a mi papá con el dedo.

Mamá salió a la calle, arrastró a mi papá hasta la casa. Papá hablaba muy duro, pegaba patadas contra las paredes, escupía a la gente que intentaba calmarlo. Luego destrozó los muebles y los platos y los vasos de la cocina, hasta que se quedó dormido en la sala y en medio de la camisa abierta le brillaban las cadenas de oro. Así que cuando yo dije que quería comprarme unas cadenas como ésas para ponérmelas en el cuello, Somaira me dio un pellizco y me dijo que fuese a acostarme, que era hora de dormir. Entonces ya no sé si cuando crezca podré llevar cadenas de oro, ya no sé si me gustan, pero mejor preguntarle a mi hermano, preguntarle mañana, o un día de éstos.

Primera noche

El olor fue invadiendo la ciudad. Un olor sin nombre. Una brasa dulce y dolorosa que se avivaba con el viento: agujas de sal, cristales, burbujas que estallaban al golpear contra las paredes. El olor rozó la ventana del cuarto y José Luis sintió cómo arañaba los vidrios, cómo entraba en su piel y la erizaba.

Abrió los ojos. Lo rodeaba la oscuridad y el sonido distante de un reloj. Comprobó que el lado de su padre continuaba vacío. Estiró las piernas y el mismo impulso lo llevó a ponerse de pie. Le pareció escuchar ruidos en la escalera: contuvo la respiración: pasos menudos, veloces. Se vistió rápidamente y caminó hasta la sala.

Abrió la puerta sigiloso para no despertar a Somaira. En la escalera distinguió una silueta. Encendió la luz y contempló a Mariana que le hacía un gesto con la mano: acércate, acércate.

Caminó hasta colocarse junto a ella. Después escuchó cómo ella le decía: ¿sentiste ese olor? Él afirmó con la cabeza. ¿Y te gusta?, preguntó la niña, pero él se distrajo porque la luz se detenía en los cabellos de Mariana, brillaba como la miel untada sobre un pan fresco.

Mariana lo tomó por la mano y comenzaron a bajar por la escalera. La luz se apagó, pero ambos continuaron descendiendo sin tropezar. ¿Dónde vamos?, preguntó él. Al llegar a la calle la brisa sopló tenue, como un silbido apagado, y el olor se fue disipando. Ya no se siente, ya no puedo sentirlo.

Llegaron a Gran Vía. Una luz gélida soplaba desde los edificios. Mariana señaló hacia Alcalá, y José Luis creyó ver un resplandor entre los árboles. Pareciera que el olor viene de allá, dijeron ambos.

Recorrieron varias manzanas. A José Luis le gustaba sentir el sudor de Mariana empapándole la mano.

Cuando llegaron a Alcalá se detuvieron junto a una iglesia. Ya no se siente nada, insistió él mientras respiraba profundamente, como intentando rasgar el aire. Viniendo desde el palacio de Linares les pareció atisbar una figura envuelta en un traje verde. Una mujer con cuerpo aguitarrado y largos cabellos. Ella debe saber de dónde viene ese olor, dijo José Luis.

Corrieron hacia ella. En una esquina la mujer se detuvo. La calle permanecía desierta. Un hilo de luz plateada recorría el asfalto igual que una serpiente y se detenía junto a los pies de la muchacha.

Al estar junto a ella descubrieron que tenía los cabellos rojizos. Una larga melena que parecía arder, soltar pequeños fogonazos. Cuando José Luis se acercó, la mujer se dio la vuelta y la luz golpeó su rostro: piel blanquísima, huesos afilados: una hilera de dientes amarillentos, verdosos, que destacaban en una boca sin labios. ¿Dónde están mis hijos?, rugió la mujer y desde sus encías comenzó a gotear un líquido tumefacto que cayó sobre el brazo de José Luis y le hizo una pequeña ampolla.

Asustados, Mariana y José Luis comenzaron a correr por Recoletos. Tras ellos repicaban los pasos de la mujer: gritos destemplados, alaridos, aromas de agua empozada, de estiércol.

Muy cerca de Colón la mujer logró atraparlos. José Luis sintió en su espalda el ardor de un arañazo y segundos después estaba en el piso junto a Mariana. En el fondo de los ojos de la mujer parecían flotar las ancas de una rana, y sus cabellos eran un montón de hierba seca, un tejido rugoso, cortante, en el que parecían moverse pequeños gusanos de color oscuro.

La mujer les ató las manos con varios de sus cabellos, los introdujo en una jaula de bambú y les arrojó en la cara un líquido espeso que los dejó atontados. Luego los arrastró por Recoletos y dio un giro hasta llegar a la Puerta de Alcalá. José Luis sentía el sonido áspero de la jaula contra el asfalto, un chillido como el de un animal que se asfixia.

Reza, reza, musitó Mariana con voz apenas audible.

José Luis entendió que la mujer los llevaba hasta el Retiro. Entre la silueta de los árboles le pareció distinguir una hoguera humeante, alrededor de la cual se alzaban siluetas afiladas y un olor grasoso que se esparcía por la ciudad como una neblina.

Reza, insistió Mariana, reza algo, y José Luis intentó recordar una oración que le había escuchado a su hermana Somaira algunas veces: Madre Reina que estás en la montaña santificado sea. La mujer los seguía arrastrando hacia el parque y soltaba ruidosas carcajadas mientras sacaba su lengua y parecía saborear algún remoto sabor. Madre Reina que estás en la montaña; repitió José Luis y al aproximarse a una de las puertas del parque, su memoria pareció encenderse igual que un fósforo.

Madre Reina María Lionza que estás en la montaña.

Santificado sea tu espíritu.

Tu cuerpo firme que domina a la Danta.

Venga a Nos la fuerza del viento que eres,

el río, las estrellas.

Danos la voluntad de la piedra junto a las aguas.

Líbranos del Mal.

Amén.

Desde Alfonso XII irrumpió una bandada de pájaros. Un ruido acuático, un golpe espumoso, como el de miles y miles de pequeños ríos repicando sobre el aire. Envuelta en luz ámbar apareció una mujer desnuda y hermosa, con un cuerpo soberbio, lleno de curvas. Una mujer de senos erguidos que iba montada sobre una Danta. El cielo se cubrió de mariposas azules, de incisiones de luz, de fragancias dulzonas.

La jaula donde estaban atrapados José Luis y Mariana empezó a elevarse, a flotar entre las nubes, mientras se escuchaban los alaridos de la señora vestida de verde que escapó al mirar cómo la Danta y aquella mujer desnuda se le abalanzaban con un ruido tumultuoso.

La jaula continuó su vuelo, se elevó y se elevó hasta que apareció entre las sombras el trazado de la calle donde vivían los dos niños.

José Luis creyó ver a lo lejos el titilar del reloj eléctrico que su hermana colocaba junto a su sofá en la sala de la casa. Allí, allí, dijo Mariana con las mejillas encendidas, al contemplar el balcón de su propio apartamento.

La jaula fue descendiendo lentamente. Al tocar el suelo comenzó a crujir y se disolvió como un puñado de arena.

Los dos amigos se despidieron en silencio. Asustados, con la voz quebrada, subieron la escalera.

La luna se deslizaba entre la calle como una flecha de plata.

2

–Domitila, Domitila...

–Mmm...

–¿Tú no crees que podamos subir un poco el ventilador?

–Estás loca, mujer.

–Es que me estoy ahogando. Si sigo así me voy a
morir.

–Cálmate, cálmate. Morir nos vamos a morir
todos.

–Sí, pero es que esto es una tortura. Con este calor
me estoy acabando poco a poco.

–Si le subes la velocidad nos van a escuchar. Ya sabes que las muchachas nos advirtieron que si se dan
cuenta nos cobrarán más caro el recibo de la luz. La
niña está pendiente de todas esas cosas.

–Ay, mujer, venir uno tan lejos a pasar estos so-
focos.

–No te quejes tanto... además, aquí la gente piensa
que ese clima a nosotras nos viene bien.

–¿A nosotras?

–Sí, hace días bajé a comprar unas cosas para las
muchachas, y una señora me dijo: «Estará contenta
con este calor, se sentirá como en su tierra».

–Le hubieses dicho, nosotras venimos del Caribe,
señora, no venimos del infierno.

–Algo de eso le comenté, pero después la señora me preguntó si en nuestros países ya no quedaba nadie, si todos nos habíamos venido.

–¿Te dijo eso?

–Así mismo. Pero yo le contesté que no se preocupara, que allá habían quedado todos los primos, y los tíos y los amigos de ella que habían tenido que irse de acá en los cincuenta a que les diéramos trabajo.

–Mujer, es que a veces tienes unas salidas... tampoco hay que ser tan...

–Yo le contesté eso, y me di media vuelta y la dejé con la palabra en la boca.

–Domitila, Domitila... que lo mejor es no llamar la atención. Mira que si las muchachas se enteran. Ya te han dicho que no estés tentando la desgracia. ¿Qué haces si un día te piden tus papeles?

–Ya lo hicieron una vez. Le dije al policía que estaba perdida, que no sabía mi nombre, pero que si él me ayudaba podía regresar a mi casa. El muchacho estaba muy azorado, fue caballerosísimo. Luego caminé hasta el primer portal que se me ocurrió y me despedí de él con dos besos. A los policías las viejitas les damos ternura.

–¡¡Domitila!! Nunca dijiste nada. Por eso es que a mí no me gusta salir. Yo no podría hacer algo así.

–Pues no sabes lo que te pierdes. La ciudad es muy bonita y casi todo el mundo tiene nuestra edad. Cuando llueve es increíble, mujer. Te asomas y ves la calle llena de viejitos y viejitas con los paraguas. Por todas partes ves paraguas. Y los viejitos se van enganchando unos con otros y se gritan, lo que pasa es que como son bajitos, entre ellos no se hacen mayor cosa, pero si vieras a la gente más joven: los viejitos los mojan con sus paraguas, los viejitos les meten los paraguas por la cara, se los meten por los ojos.

–Domitila, ¿es verdad lo que me dices?

–Sí, mujer. Me da una risa. Yo al principio me quedaba en el portal mirando, pero ahora yo misma saco mi paraguas y me voy caminando por la calle. Entonces al rato siento que detrás se me ponen un par de muchachos, les oigo los pasos, y sé que se van desesperando porque a esta edad, mujer, una camina lo más rápido que puede, que no es mucho, y en algún momento tratan de pasarme por un lado, y zas, yo muevo un poco el paraguas.

–¡¡Domitila!!

–Aquí todo el mundo lo hace.

–¿Y no te reclaman?

–A veces oyes que murmuran, que sueltan una grosería de esas grandotas que dicen ellos, pero tú ves cómo siguen apurados, caminando rapidísimo, y lo único es que se van sobando la cara para quitarse el dolor.

–Virgen santa... debe ser este clima el que te está volviendo loca. ¿Qué crees que pensarían las muchachas si supieran que sales a eso?

–Mujer, todo el tiempo hablas y hablas de las muchachas. Una debe querer a las hijas, pero ¿a quién le hago daño yo con mis paseos?

–¿Y si un día le sacas un ojo a un muchacho de ésos?

–No, no, si yo calculo bien. Se pegan un susto y más nada, pero la culpa es de ellos. ¿Para qué llevan tanto apuro? En la vida hay que tener más calma. Total, para lo que hay que ver.

–Ay, Domitila, tú siempre con tus cosas. Si es que este calor me va a matar a mí y a ti te va a poner loca...

¿De verdad no crees que podamos subirle la velocidad al ventilador? Te aseguro que la muchachita no va a estar pendiente de nosotras.

–¿Cómo sabes?

–Está trabajando en la calle.

–¿Consiguió trabajo?

–Sí. Cuida unos viejitos en el día.

–Pero yo la vi hace un rato...

–Porque la condición que puso es seguir durmiendo aquí. Ella sabe que en esa casa no podrá recibir al hombre ese.

–Mira tú. Pero yo la vi en la sala hace diez minutos.

–Claro. Estaría llegando del trabajo. Ahora mismo está recibiendo su visita. Así que entre el cansancio y el novio no te creas que va a estar pendiente de nosotras.

–Bueno, sube la velocidad un momento a ver si hace mucho ruido.

–...

–No hables... no hables... vamos a ver qué pasa...

–...

–...

–Domitila...

–Dime.

–Yo creo que es mejor hablar, así se tapa un poco el ruido del ventilador.

–No sé... ¿y cómo nos enteramos de si se acercan al cuarto?

–Qué más da.

–A ti cuando te entra el calor no te importa nada.

–Claro que sí, pero te digo que si nos quedamos calladas se escucha más el ruido.

–¿Y cómo lo sabes? Ni que fueses adivina.

–Domitila, te pones imposible a veces. Mejor lo bajo y ya...

–No hables tan duro.

–Dios, qué tormento...

–Chito... chito... ¿no oyes?

–Es la muchachita en el balcón.

–Virgen santa... está gimiendo.

–¿Será posible?... No... a lo mejor está llorando...

–Tal vez... sí, debe ser eso. Ya sabes que el hombre le sigue insistiendo en que no aparecen los papeles que necesita para divorciarse.

–Vagabundo.

–Dice que es culpa de la gente de la embajada, pero que en cuanto lleguen esos papeles él aclara su situación.

–Dios mío... aunque, quién sabe, a lo mejor es cierto. No hay que dudar siempre de la gente.

–Bueno, y tú dices que soy yo la que se está volviendo loca con el calor. ¿Cómo te vas a creer eso?

–Una no sabe. A veces pasa.

–Mira, hombre no deja mujer. Y si la deja, la deja de una vez y ya. Éstos ya tienen ocho meses en esta historia. Así que olvídate. Además...

–¿Además qué?

–Yo lo vi a él un día. Uno de esos días que estaba con el paraguas. Entonces sentí que alguien se me tiró encima y quiso adelantarme, así que bueno, ya sabes, moví el paraguas. Lo raro fue que el hombre dio un grito y cuando logró pasarme se volteó y me dijo: «vieja pendeja, quítese de en medio».

–¿Te gritó eso?

–Así como te cuento, claro, me llamó la atención oírlo hablar, alcé la cara y adivina...

—El novio de la muchachita.

—Exactamente. Yo creo que él no me reconoció, así que mientras yo me senté en un banco a conversar con una gente, él entró a un sitio y salió con la esposa y dos niños.

—La familia.

—Pues sí. Esperaron a que escampara y luego los vi salir juntos de paseo. Se veían de lo mejor. Él abrazaba a la mujer y le daba besos, y ella se reía.

—Mucho que se está divorciando el sinvergüenza.

—Mujer, hay que estar en la luna para pensar que ese tipo tiene buenas intenciones.

—Bueno, pero la muchachita jura que es así.

—Porque hay mujeres que prefieren no darse cuenta... Oye, el calor está cada vez peor. Sube la velocidad del ventilador.

—Domitila, eres imposible.

—Mujer, qué te cuesta hacerme caso por una vez. Tú misma dijiste que la Somaira está llorando en el balcón.

—¿Y el niño?

—Se la pasa en el baño matando hormigas. Si no lo ponen en la escuela se les va a terminar volviendo bruto... Anda, sube la velocidad, mujer. Hazme caso por lo menos una vez en la vida.

Augusto se queja porque dice que vivimos muy apretados.

En un cuarto y en una misma cama: mi mamá, mi papá, mi hermana Agustina y yo.

Al lado de nosotros, en otra cama pequeña, mi hermano Augusto, que huele a cigarrillo y a veces suspira tan duro que me despierta.

En el otro cuarto, las viejas y las muchachas que pagan el alquiler.

Y en la sala Somaira, que se despierta bien temprano para que no la veamos con la boca abierta botando un hilito de saliva.

Pero a mí me gusta, porque entonces duermo entre mamá y papá. Así los abrazo, y en las noches si tengo miedo sólo debo moverme un poquito y siento el olor de ellos: dulce el de mi mamá, a limón el de mi papá, que hace tiempo tiene mucho trabajo en el campo y no viene ni los fines de semana.

A mí me gusta dormir con ellos, pero a veces estoy tan a gusto que me despierto con el pantalón caliente porque me acabo de hacer pipí. Entonces mamá me regaña mucho, me baña en plena madrugada y pone una camisa sucia sobre la mancha de orine hasta que amanece y cambia las sábanas.

Al día siguiente, si está en el apartamento, también me regaña papá. Hasta Augusto se queja. Yo me siento triste y prometo que no voy a orinar más nunca. Por eso paso la mañana sin beber agua. Pero al mediodía ya se me olvida, y en la tarde me acuerdo, pero ya no hay nada que hacer. Así que intento orinar, orinar y orinar mucho antes de acostarme.

A veces no me orino la cama, y siento el olor de mis padres, un olor que me gusta porque así en las noches duermo bastante. Entonces no me despierto dando gritos, como en la otra ciudad, después de aquella lluvia, la lluvia que inundó la casa y se llevó las chancletas azules de mi hermano Augusto. Que se las llevó lejos, que las arrastró mucho rato, hasta que se hundieron y ya más nunca las vimos.

Una vez empezaron papá y Augusto a pasar todo el día en la casa. Allá, donde vivíamos antes. Y no se iban nunca, no salían. Estaban en el patio acostados en la hamaca, o mirando el periódico, o pendientes del teléfono. Pero aunque yo vivía muy contento porque los veía siempre, mamá tenía la cara seria, y una tarde me dijo que ellos se habían quedado sin trabajo y que eso era muy malo.

Muchos de los hombres estaban igual que mi hermano y mi papá. Unos los veía en las tardes, sentados en las puertas de las casas, muy serios, bebiendo cerveza y con la barriga al aire, espantando las moscas con las manos. Pero una mañana llegaron los militares y dijeron que habría trabajo para todo el que fuera a la placita. Así que la placita se llenó de gente y un capitán los iba organizando y les daba una escoba para que barrieran todas las hojas secas que había en el barrio. Y la gente barrió, barrió mucho, fueron juntando hojas, muchas hojas secas, porque los árboles allá botan las hojas pero nunca se quedan desnudos, así que había muchas hojas, un montón. Y la gente las iba poniendo en una esquina, y se fue haciendo una montaña, una montaña más grande que mi papá, más grande que los galpones de la zona industrial, y al lado de la montaña estaban varios soldados con las ametralladoras, cuidando las hojas.

Cuando fue de noche, el capitán dijo que debían meter las hojas en unas bolsas negras para poder botarlas, pero en ese momento uno de los soldados dijo que las bolsas no habían llegado. Por eso dejaron la montaña de hojas para recogerla al otro día. Y el capitán se sacó unos billetes del bolsillo y comenzó a pagarle a la gente. Así que esa noche hubo muchas fiestas en el barrio. Hasta mi papá y mi hermano montaron su fiestecita; prepararon una parrilla, bebieron mucha cerveza.

Al día siguiente volvieron los militares. En la noche el viento había regado las hojas. Hubo que barrer de nuevo y hacer otra vez la montaña inmensa. Esta vez tampoco habían conseguido las bolsas, así que tampoco pudieron recoger nada. Pero la gente estaba contenta porque el capitán volvió a sacar unos billetes de su bolsillo y comenzó a pagarles a todos.

Así estuvimos mucho tiempo porque las bolsas negras no aparecían nunca, y el capitán era muy querido en el barrio. Pasaba varias veces a la semana en un carrote bellísimo y se reía con la gente, contaba chistes, hasta enamoró a algunas de las muchachas y dicen que la morenita de la calle 1 le parió un hijo y que por eso ella y su familia cobraban aunque no barriesen las hojas secas.

Pero un día el capitán no volvió más. Nadie volvió a barrer las hojas. Mi papá y mi hermano pasaban todo el día en la casa, mirando los periódicos, o esperando una llamada de teléfono.

En las tardes, los dos sacaban una silla y se ponían en la puerta, a mirar, a mirar los carros que pasaban.

Y cuando llegaban las moscas, mi hermano Augusto les daba un manotazo rapidísimo, las aplastaba contra la pared, y Somaira se ponía brava, porque la pared estaba muy sucia, llena de pequeñas moscas aplastadas.

No digas coche, se dice carro.
   No digas sandía, se dice patilla.
   No digas gafas, se dice lentes.
   No digas polla, se dice güevo.
   No digas cortado, se dice marrón.
   No digas cacahuete, se dice maní.
   Carajo, que no digas, no digas, que no hables así, carajo.

(Mi padre los domingos. Tercera cerveza.)

Manuel estuvo a punto de casarse con una de las hijas del portugués. Una muy bonita. Augusto era novio de una de las hijas del italiano. Pero una mañana, allá en la otra ciudad donde vivíamos, aparecieron unos papeles frente al abasto del portugués y frente a la licorería del italiano.

Augusto los arrancó, los tiró en la basura, pero a la mañana siguiente aparecieron otros, y todos los días aparecían otros. Y la gente no decía nada, no comentaba nada. Mucho menos cuando aparecieron pintadas las paredes. Pero Augusto y Manuel siguieron arrancando papeles y yo les pregunté qué decían. «¡¡¡Extranjeros ladrones, fuera!!!» «¡¡¡Viva la patria. Fuera extranjeros explotadores!!!» Pero todo el mundo estaba callado. Y una noche yo vi a los Serrano pegando los papeles, vi que los acompañaba aquel capitán que estuvo viniendo un tiempo a recoger las hojas secas y vi que también estaban unos soldados. Pero mamá me pidió que no dijese nada, que por la Virgen y el Niñito Jesús no dijese nada.

Entonces una mañana se fueron los portugueses. Manuel se quedó. Manuel dijo que viajaría después a encontrarse con su Fátima, que se casarían después. Y luego se fueron los italianos, y Augusto no dijo nada, no dijo que los acompañaría, no dijo nada porque su novia no quiso hablar con él y se fue llorando en una camioneta. Y Augusto también lloraba escondido en el baño para que mi papá no lo regañara.

Por eso las casas se quedaron solas. Quisieron venderlas, pero nadie las compró y después una de las casas amaneció incendiada. Y en las otras calles también se fue otra gente. Unos isleños, un gallego que tenía un diente de oro, unos árabes. Y el barrio estaba lleno de casas vacías porque ya se habían ido todos los musiús. Así que teníamos que caminar un montón de cuadras para comprar el pan, para comprar zapatos, para comprar leche.

Además en las noches los Serrano seguían poniendo papeles en otras casas. «Oligarca traidor», decían. «Vende patria», decían. Cada tanto los escuchábamos gritar y poner papeles. Mi mamá dijo que teníamos que viajar antes de que los Serrano nos pusieran un papel a nosotros por aquella pelea que tuvieron con papá. Yo no entendí nada. «Lo arrancamos, mamá, lo arrancamos», le dije. Pero mamá se quedó callada. Luego llegó Manuel y se despidió, y yo le dije que cuando volviera de Madrid esperaba pasear otra vez en su carro verde. Porque yo pensaba que irse era estar fuera unos días. Poco tiempo. Como cuando mis hermanos se escaparon a la playa. Ir y volver. Y Manuel me miró triste. Porque yo creo que él sí sabía que Madrid está tan lejos que ni siquiera desde el árbol más alto del patio de mi casa puede uno verlo.

Agustina se enfermó. Lloraba toda la noche. Vomitaba y no dejaba dormir a nadie. Papá no quería llevarla al médico porque decía que le pedirían su permiso y que luego lo botarían de España.

Agustina seguía enferma, mamá le mojaba la cara con agua fría, le ponía pedacitos de papa en la frente. En la mañana se le vio el cuerpo lleno de punticos rojos y mamá dijo que tenía lechina, que a mí ya me había dado.

Augusto y Somaira fueron a la farmacia que está a tres manzanas y le comentaron a una muchacha que necesitaban algo para la lechina. La muchacha los trató mal. Les gritó que eso sólo podía decirlo un médico, que fueran al médico. Pero Somaira le dijo que no teníamos seguro, que teníamos poco tiempo en Madrid y un señor que también atendía en la farmacia se acercó a mis hermanos. Les vendió un talco y un remedio para la fiebre. Después los acompañó hasta la salida de la farmacia. Si la cría sigue con problemas, hablen conmigo y le damos otras medicinas, parece que les dijo.

Mi hermana se curó.

El señor sigue en la farmacia. Siempre que pasamos por allí, Augusto y yo lo saludamos desde la calle. Una vez mi hermana Somaira le llevó un pan muy rico que ella hace.

Ayer Augusto lo invitó a unas cañas.

El señor preguntó cómo seguía mi hermanita. Dije que bien. Pero yo no me olvido que no podíamos dormir, que Agustina lloraba y lloraba, que el cuarto olía tan feo.

Y yo sin poder hacer nada. Sin entender nada. Somaira que entra en la casa, Somaira que da vueltas alrededor de la sala, Somaira que enciende el televisor, que apaga el televisor, que lo enciende, que lo apaga. Somaira que llora, Somaira que golpea las paredes, Somaira que me salta encima, que me abraza fuerte y me hace daño, Somaira que me aprieta y me besa y me abraza mucho.

Y nosotros sin poder hacer nada. Augusto que trató de calmarla; mamá que le buscó agua con azúcar; una de las viejas que le dio palmaditas en la espalda. Pero Somaira me abrazaba cada vez más fuerte, me hundía las uñas, me besaba en la cara, en la frente, en las manos.

Somaira que cuenta, Somaira que como todas las mañanas fue a cuidar a la viejita, Somaira que oyó un ruido muy fuerte, que vio a la gente corriendo, que vio fuego a dos manzanas, Somaira que caminó, que corrió hacia la candela sin saber por qué.

Somaira que miró el coche incendiado, y un señor muerto sobre el volante, y un niño con la boca abierta, Somaira que gritó, y un policía que la echó a un lado: «iros, iros, puede haber otro coche bomba, iros», y el niño muerto en el carro y Somaira que me abrazaba, que me agarraba duro por los cabellos, que me apretaba, que ya se iba quedando dormida con una pastilla que le dio mi madre, y en la televisión un coche incendiado, y un señor y un niño, y mamá que apagó el aparato, que me pidió que estuviese con Somaira, que me pidió que fuese bueno con mi hermana, y Somaira que lloraba, que ya se iba durmiendo, que me soltaba, que se dormía, que seguía llorando. Somaira que duerme.

Segunda noche

Aquel olor.

Otra vez.

José Luis sintió que desde la ventana se deslizaba ese aroma. Abrió los ojos y se vistió en pocos segundos. Pasó por el salón y no tuvo necesidad de apretar el interruptor para saber que Mariana lo aguardaba en el rellano de la escalera.

Esta vez descendieron sin hacer ruido y caminaron hacia los lados de Malasaña. José Luis creyó ver a lo lejos la sombra de un árbol que vibraba en medio de la penumbra, pero después de un rato, esa silueta de ramas y hojas se fue disolviendo en un suave remolino.

Mariana se detuvo. Señaló hacia la izquierda y entre varios cartones asomó la cara arrugada de una anciana. Mira, nos está llamando, alcanzó a decir. Temerosos se aproximaron unos centímetros. Luego contemplaron cómo la mujer se ponía en pie y se sacudía de la ropa restos de basura y de hojas mustias. La anciana los contempló con fijeza: tenía en la piel un color yodado, áspero. Su voz poseía una rara sonoridad, como si más que voz, la mujer dejase escapar de su garganta el sonido de dos piedras que se frotan.

Oye, dijo mirando a José Luis, tu palabra, sólo eso necesitas. Tu palabra; y de las manos de la vieja salió una burbuja que se elevó y se elevó hasta desaparecer en el cielo para luego incrustarse entre las nubes como el recuerdo de aquel olor que en las madrugadas invadía la ciudad.

José Luis y Mariana se miraron confusos y prefirieron alejarse. La anciana se envolvió en sus cajas, musitando incomprensibles murmullos.

Avanzaron por San Bernardo y José Luis comenzó a sentir que bajo sus pies crecía con fuerza aquel olor, aquella fragancia que irrumpía en su nariz y en su piel como una electricidad. Puede ser aquí, puede ser aquí, comentaba cada vez más excitado y al llegar a Divino Pastor se detuvo y con una navaja que llevaba en su bolsillo comenzó a hurgar en el asfalto. Mariana trató de detenerlo, pero la febrilidad de su amigo era tal que la hoja metálica fue desgajando el suelo hasta que desde la profundidad de la tierra brotó un resplandor cobrizo que encandiló a los dos amigos. Los mouros, los mouros, gritó la niña y tomando por el brazo a José Luis lo arrastró hasta una esquina.

Con rapidez, Mariana extrajo de su vestido una moneda de plata y dibujó dos círculos en el asfalto. Quédate dentro y no te muevas, gritó, quédate dentro. El suelo comenzó a agrietarse. Dos gigantes más altos que los edificios brotaron desde la tierra. Llevaban en sus manos un tridente y rugían como un bosque en llamas. No te muevas, insistía Mariana, no te muevas. José Luis podía escuchar cómo sus rodillas golpeaban una contra otra.

Los gigantes intentaron abalanzarse sobre los dos niños, pero al llegar a los círculos trazados sobre el suelo se devolvieron soltando alaridos salvajes. Desde sus cuerpos brotaban gases azulados, llamas verdes. El rostro de los gigantes parecía moldeado con carbones encendidos que se iban avivando a medida que la brisa se deslizaba por la calle y desde sus cuerpos brotaba un hedor como a orine de gatos, como a raíces podridas.

Los párpados de José Luis se entrecerraban. Le parecía que los gigantes iban creciendo, que sus tridentes encendidos se deslizaban cada vez más cerca de sus rostros. No te muevas, no te muevas, ahora soy yo la que debe alejarlos, insistió Mariana.

Los gigantes siguieron girando alrededor de ellos, y sin dejar de mirarlos, Mariana comenzó a mover los labios. José Luis imitó cada una de sus frases: un respiro, una canción apenas audible, un susurro.

«Sempre faz o mellor
A madre do Sennor

Salvador
A nos faz que non possamos errar,
e a Deus que nos queyra perdõar
e eno seu parayso nos dar
          gran sabor
Sempre faz o mellor...»

Los gigantes comenzaron a retroceder y un tenue humo empezó a soplar desde sus tridentes. El aire se llenó de un presagio de lluvia. Nubes perezosas se deslizaron sobre el cielo.

«A nos faz que queyramos Deus servir
E a el que nos faça repentir
Dos erros e a emenda viir
          Con amor.
Sempre faz o mellor...»

Los gigantes dieron pasos vacilantes. Se miraron el uno al otro, y con gestos lentos, llegaron hasta el orificio de donde habían salido y se mantuvieron silenciosos, contemplando a los dos niños que permanecían dentro de los círculos.

«A nos faz que saibamos Deus temer,
E a ele que queyra reçeber
Nosso serviço, por nos pois temer
          u el for
Sempre faz o mellor...»

Con pasos lentos, los dos gigantes regresaron al cráter desde el que habían irrumpido. La noche repicó sobre la calle: sonidos suaves; ventanas agitadas por el viento. Mariana tomó a José Luis por la mano y salieron de los círculos plateados que los protegían. Poco a poco se acercaron al orificio por el que habían aparecido los gigantes. Después de pensarlo unos instantes, los dos niños se asomaron a mirar: en lo más profundo de la tierra se veía una ciudad dormida; una ciudad igual a Madrid, pero oculta debajo del suelo. Permanecieron silenciosos hasta que Mariana distinguió sobre el techo de una de las casas un punto blanco. Cógela, cógela, es tuya, le dijo a José Luis y él extendió su mano hasta que aquel mínimo punto blanco estuvo entre sus manos: una piedra, una piedra blanca, muy fría, en la que aquel olor que fascinaba a José Luis se repetía lejanamente.

Muy callados regresaron a casa. Cuando iban por la Glorieta de Bilbao, frente a ellos reapareció la silueta inmensa de un árbol: ramas, y ramas escalando hasta el cielo. José Luis empezó a vislumbrar aquellas hojas de un color tierno, aterciopelado; tonalidades insólitas, frutas, formas dulces, texturas; fragantes mangos, tamarindos, aceitunas, parchitas, patillas; irreales lechosas, cambures manzanos, titiaros, guineos, castañas, jugosas guanábanas, pomarrosas, jobos y guayabas.

José Luis quedó detenido en el ardor de aquellas hojas, en el sonido cavernoso que silbaba desde las ramas. Mariana se colocó a su lado y le susurró que debían regresar.

José Luis la siguió mientras olía la piedra blanca que consiguieron en la caverna de los mouros, incluso la saboreó con su lengua. Mariana sonrió al descubrirlo en ese gesto. Ahora sólo nos falta tu palabra, piénsalo, nos falta tu palabra y él te llevará a ese sitio...

José Luis se volteó para preguntarle quién lo llevaría a qué lugar, pero su amiga desapareció en las escaleras. Él sólo pudo entrar a su casa sin hacer ruido, con la piedra escondida en su camisa, como si fuese un pequeño animal, una respiración.

Yo vi la nieve tantas veces en la televisión y era blanca, era talco la nieve, almidón la nieve, vainilla la nieve.

Aunque no hace mucho que la vi en persona. Porque mamá y papá me llevaban por la calle y comenzó una lluvia. Una lluvia rara, con gotas grandísimas y mis papás se metieron en un bar porque hacía frío.

Entonces la lluvia no era lluvia y yo salí a la puerta. La calle se iba poniendo blanca. Las manos se me llenaban de peloticas de hielo. Las manos me dolían.

Cuando regresábamos a casa vi a los muchachos jugando. Mi madre me ayudó a recoger un montón de nieve y a meterla en una bolsa. Luego al llegar al apartamento, corrí hasta el baño y la eché en la bañera, pero ahora estaba un poco gris, era parecida al hielo del refrigerador. Igual me puse a jugar y hasta Agustina se acercó y la tocó con sus manos, como si le diese miedo.

Lo que todavía no olvido son las carcajadas de Augusto, las carcajadas de mi papá, cuando les pregunté si yo podía guardar la nieve, si yo podía llevármela cuando regresáramos a la otra casa, a la otra ciudad.

Por eso ya no me gusta tanto la nieve. Me gusta más en la televisión, donde jamás se pone negra, donde nunca se derrite en la bañera ni queda como un charco de agua sucia.

Dijeron algo así como que si iba con el niño todo sería más fácil. Por eso Somaira me despertó de madrugada, me ayudó a vestirme, me peinó con colonia.

Fuimos caminando. Las calles estaban muy oscuras, pero cuando llegamos había mucha gente haciendo cola para sacarse los papeles y olía a sudor y el aire estaba muy frío.

Somaira me abrazaba. Sus manos estaban tibias. Yo me iba durmiendo porque ella me rascaba el pelo. Pero empezaba a salir el sol; cada vez llegaba más gente. Así que mi hermana me agarraba muy duro. Me decía que no me separase de ella.

Una muchacha que estaba delante de nosotros comenzó a hablarnos. Tenía unas piernas larguísimas, muy morenas. Tenía una minifalda de cuero brillante y el cabello le olía rico. Pero Somaira bostezaba, Somaira miraba para los lados, como si la muchacha de las piernas no estuviese hablando con ella. La muchacha sonreía, la muchacha quería hablar y se salió un rato de la cola y volvió con tres vasitos de café.

Luego unos en la cola quisieron entrar primero. Empezaron a empujar, a darse patadas, a saltar las rejas amarillas que había puesto la policía. Somaira me puso a un lado. Miró hacia adelante como buscando a alguien y en eso los policías comenzaron a darle porrazos a la gente. Varios empezaron a correr. Somaira me haló por una mano, pero yo me solté porque unos hombres se cayeron en el piso y yo me caí con ellos. Me levanté llorando. Miré para todas partes, pero lo único que vi fue a un policía pegándole a un muchacho. En eso me agarraron por la camisa. Me sacaron corriendo porque unas pelotas de humo reventaron cerca de nosotros y empezamos a llorar.

La muchacha de las piernas morenas me llevaba abrazado. Yo olí su champú, que era muy rico, que era como de fresas. Porque ella tenía el cabello larguísimo. Luego nos metimos debajo de un coche, hasta que todo se fue calmando, hasta que dejaron de sonar los gritos de las gentes y varios comenzaron de nuevo a hacer la cola.

La muchacha me dijo que saliéramos a buscar a mi hermana. Ya era de día. Los autobuses iban llenos y la gente al mirarnos volteaba la cara, o se ponía a leer el periódico.

Cuando encontramos a Somaira ella se puso a llorar, me agarró por un brazo. Ni siquiera le dio las gracias a la muchacha de las piernas.

Yo estaba tan asustado que tampoco me despedí. Pero siempre me acuerdo. Siempre que veo a mi hermano con Pilar, la chica que blanquea los ojos, o siempre que veo mujeres bonitas en la calle, me acuerdo. Porque ese día yo tenía mucho miedo y debajo del coche me acurruqué con la muchacha, me llegó su olor rico y aprovechando que tanta gente corría, que tanta gente se metía debajo con nosotros, yo le pasé la mano muchas veces por la pierna y luego le toqué debajo de la minifalda y era tan suave.

No me acuerdo de nadie. Bueno, un poco sí. Pero lo raro es que me acuerdo de los que me caían mal, de los que no me gustaban. Había uno que tenía los ojos como un sapo, y otro que era alto, muy flaco y siempre tenía sucio el uniforme con unas manchas de pintura. De ellos me acuerdo bastante: les decíamos Jirafa y Cara de Sapo. Siempre andaban juntos y si amanecían de mala uva nos daban patadas.

Conmigo casi no se metían, porque a mi papá algunas gentes le tenían miedo desde la pelea con los Serrano. Pero a veces me hacían una zancadilla, y yo me caía de boca y se me ensuciaba el uniforme.

Una mañana los vi venir corriendo. Yo estaba sentado en el suelo con unos amigos. Sin pensarlo mucho saqué la pierna para que ellos se tropezaran. Ellos me vieron y al llegar a donde yo estaba, paf, pegaron un brinco y con los zapatos me cayeron encima. La pierna me quedó doliendo mucho rato. Cuando se lo conté a Augusto me dijo que parecía pendejo, que debía sacar la pierna en el momento en que ya estuviesen cerquita.

Pasé todo ese año esperando. Me la pasé sentado en el suelo a ver cuándo pillaba a Cara de Sapo o a la Jirafa para sacar la pierna y tumbarlos de boca. Lo que pasa es que luego nos vinimos. Ni siquiera terminé las clases. Nos vinimos en el avión. Nunca pude tumbarlos. No sé por qué pienso en ellos.

Teníamos poco tiempo en Madrid. Mi padre me llevaba de paseo y recorríamos Gran Vía de arriba abajo. Todo el día.

Revisábamos los teléfonos públicos. Uno por uno. A veces metía la mano papá, a veces yo. Y cada tanto conseguíamos alguna moneda. Un duro, dos duros. Yo me alegraba cuando sentía que tocaba algo frío con el dedo. Moneda, moneda, gritaba, y papá me hacía señas para que me quedase calladito.

En la tarde contábamos las monedas. Nunca era mucho, pero papá se reía y me daba un manotazo en la espalda: chévere, cambur, chévere.

Después papá trabajó en el campo con mi hermano. Pero se pelearon un día. No sé bien por qué. Mi hermano empezó a pintar casas en Madrid, luego construía edificios. Pero papá seguía en el campo y al tiempo apareció con una furgoneta viejísima. Me dio un paseo por el barrio. La furgoneta se paraba a cada rato, pero él la arregló y yo lo ayudé mucho pasándole las herramientas y buscándole cervecitas en la tienda de los chinos.

Después un día trajo otra furgoneta. Quiso que Augusto trabajara con él, que la manejara, pero mi hermano le dijo que no. Ahora casi no se hablan. Y papá contrató a un vecino que también llegó a Madrid hace un año. Luego apareció con otra furgoneta y otra y otra. Ahora papá tiene cinco furgonetas que le manejan unos paisanos y unos moros a los que él les pasa cada tanto unos billeticos diciéndoles: «Mojamé, Mojamé, que hoy estoy generoso, no pidas más, mira que no te vuelvo a llamar». Cinco furgonetas que son feas, y siempre están llenas de barro, y huelen horrible.

Papá me dice que con ellas lleva gente a trabajar al campo. Por eso veo que a veces lo buscan en el barrio. Señores que le piden que los lleve, y él los grita: coño, estoy con mi hijo, nos vemos mañana a las cinco de la madrugada, carajo. Por eso paso meses sin verlo. Lleva señores de un sitio a otro. Y ahora tiene una cadena de oro más grande.

Una vez yo le conté a Mariana lo que hacíamos. Ella y yo nos fuimos a Gran Vía. Pasamos la tarde buscando monedas en los teléfonos. Pero yo vi a dos viejitos españoles que iban delante de nosotros y se nos adelantaron. No conseguimos nada. Después nos sentamos en Plaza España. Estuvimos un rato mirando coches, contando los de color rojo, los de color azul, los de color verde.

Yo le conté a Mariana sobre las furgonetas de mi papá. Ella no me respondió nada. Le conté que allí llevaba gente a trabajar, le dije que a mi papá lo buscaban mucho y que ahora tenía una cadena de oro grandota. Que yo quería manejar una furgoneta como ésa.

Mariana me pidió que regresáramos a casa. Volvimos callados. Me sentía raro. Como si tuviese fiebre. Mariana se quedó atrás un momento. Regresé a buscarla y la encontré en Callao junto a un teléfono.

Busca aquí, me dijo y yo le hice caso. Todavía no me lo creo. Había una moneda de cien pesetas. Mira, mira, estuve gritando mucho rato y apreté duro la moneda con mi mano.

Todavía la guardo debajo del colchón de mi cama. Tuvimos mucha suerte ese día. Nunca he tenido tanta suerte como esa tarde con Mariana.

En la cocina hay una estampita de San Antonio, una de Santa Lucía, una de María Lionza y una de la Virgen. Mamá les pone siempre una vela, les reza y se persigna.

Sólo mi mamá les reza. Somaira poquitas veces lo hace. Pero hoy en la mañana se la ha pasado de rodillas y prende velas, prende varias velas.

La viejita que cuida Somaira se está muriendo. Es una viejita muy viejita. Más vieja que la abuela de Mariana, más enferma, más arrugada. Somaira la baña, la viste, la limpia, le da comida y en las tardes Somaira regresa a casa y me trae un bollicao.

Pero desde ayer se está muriendo y Somaira me pide que me arrodille con ella para que la viejita se salve, para que no se muera. Yo la acompaño un rato, pero sólo me sé el padrenuestro y me fastidia repetirlo. Somaira sigue rezando, reza mucho; baja a cada rato a llamar por teléfono para ver cómo sigue la viejita. Porque si la viejita se muere Somaira se queda sin trabajo. Y Somaira llora cuando piensa en eso. Pero mamá le dice que acá hay muchos viejitos, que este país está lleno de viejos, que no se preocupe. Somaira se calma un poco, pero después se acuerda de que la familia de la vieja es muy buena porque no le pidieron nada, porque casi le pagan lo mismo que a las mujeres que tienen sus papeles y sus permisos.

Somaira llora. Somaira reza para que la viejita se salve.

Yo paso cada tanto por la cocina y la ayudo un rato. Repito el padrenuestro, cierro los ojos como mi hermana, para que las estampitas salven a la vieja, para que mi hermana pueda seguir trayéndome todas las tardes el bollicao que me como mientras veo la tele. Y rezamos, rezamos un montón, pero a veces se me olvida la viejita, y sólo pienso en el bollicao. Entonces me doy golpecitos en el pecho, por mi culpa, por mi culpa, por mi gran culpa, como hace mi madre. Y Somaira me acaricia el cabello.

Yo vengo a visitar a mi tío Paco.

Yo vengo dos meses a visitar a mi tío Paco.

Yo vengo a España sólo dos meses a visitar a mi tío Paco.

Me lo hicieron repetir muchas veces el día que tomamos el avión. Si me preguntaban algo tenía que responder: yo vengo a visitar a mi tío Paco, yo vengo dos meses a visitar a mi tío Paco.

Practiqué bastante. Cuando nos bajamos del avión agarré la mano de Somaira y estaba muy fría. Hicimos una cola larga, muy larga. Mi papá y Augusto estaban blancos. A los dos les caían gotitas de sudor desde la frente. Delante de nosotros vi a tres muchachos muy morenos, pero después de un rato de hablar con un señor que estaba en una ventanilla, vinieron varios policías y se los llevaron.

Nos tocó a nosotros. Augusto y mi papá sudaban mucho, tenían en la espalda una mancha gigante. El señor comenzó a preguntarnos cosas. Estuvimos un rato allí. Yo veía a mi mamá y a mi hermana sonriendo de mentira, tan simpáticas, tan felices. Hasta que el hombre comenzó a sellar unos papeles y la mano de mi hermana Somaira se puso caliente.

Cuando salimos a la calle hacía frío. Yo le pregunté a mi mamá dónde estaba el tío Paco que íbamos a visitar. Ella y mi papá se rieron.

Teníamos un montón de maletas, de cajas. Nos costó subirlas al autobús. Luego arrancamos y comenzamos a andar por una autopista. Yo tenía sueño, pero los árboles de Madrid me parecían muy raros, medio pelados, con unas poquitas hojas amarillas, unas poquitas hojas rojas. Le pregunté a Augusto por qué eran así y él me explicó que eso es el otoño. Yo no entendí qué quería decir y me puse a llorar porque pensé que el otoño era una enfermedad, que pronto estaríamos amarillos, secos. Lo que pasa es que luego me quedé dormido.

Pero hoy ya sé qué es el otoño, hoy ya sé que yo no tengo ningún tío Paco. Nosotros no tenemos a nadie en Madrid.

En la otra ciudad sonaban las campanas. Lo recuerdo en las tardes. Tom, tom, tommmmm. Y cuando empezaban a sonar es que ya volvía mi papá, que ya regresaba Somaira, que ya volvía Augusto, que ya iba a comenzar en la televisión mi programa preferido: Capitaaaaaaaán Centella. La noche llegaba un poquito después, y cuando yo estaba chiquito pensaba que las campanas eran las que traían la noche, que ellas sonaban y por eso se ponía oscuro y así volvía mi papá a casa gritando desde la esquina: chévere cambur; chévere cambur.

Acá en Madrid también suenan. También me gustan mucho, porque cuando suenan las campanas pasan unos minutos y aparece el señor Cunqueiro con Mariana. Los veo en la esquina, ella con su falda de cuadritos, con sus gafas, hablando, hablando mucho. Yo la saludo desde el balcón, doy gritos, y Mariana y el señor Cunqueiro se ríen.

Pero hace unos días, Mariana volvía caminando sola. A veces lo hace. Yo la vi. Comencé a gritarle y ella movió los brazos para saludar. Entonces no sé muy bien qué pasó. Bueno, más bien sí lo sé. Ismael Prados estaba sentado en su banco de siempre, allí, con el libro, con su cara de bobo, con su cara de pajúo, de gilipollas, y yo me fui hasta la cocina. Agarré un tomate podrido que mamá había tirado en la basura. Pegué una carrera hasta que volví al balcón. Cuando Mariana estuvo cerca, cuando pudo mirarme, apunté bien y le pegué un tomatazo en la cabeza a Ismael Prados. Después comencé a hacer al avioncito para que ella me viera. Pero cuando volví a mirarla me asusté. Mariana estaba rara. Mariana no se rió ni un poquito. Mariana apretó la boca y cerró la puerta del edificio.

Mariana ya no me habla. No me saluda en las mañanas, ni me llama en las tardes para que suba a jugar con la consola.

Las campanas siguen sonando todas las tardes. Ya no me asomo a mirar a Mariana porque ella no me contesta, no me mira, sigue hablando con su padre muy seria.

Ahora yo odio esas campanas. No las quiero oír. A mí no me gustan. Porque ojalá se acaben, que no suenen más nunca, que no se oigan esas campanas en Madrid.

Mamá se pinta las uñas los domingos en la mañana. Aquí o allá, es lo mismo. Ella se levanta temprano y cantando suavecito para que nadie se despierte comienza a pintarse las uñas. Una luna blanca, luego un poco de rojo. Así con cada dedo.

Yo me levanto para acompañarla un rato porque me gusta el olor del esmalte, y me gusta verla a ella tan tranquila, tan feliz.

El resto de la semana las manos de mi mamá huelen a cebolla, a tomate, a ajo, a perejil, a puerros, y las uñas se le ponen feas. Por eso la cara de mi mamá está como roja, como si le salieran pequeñas arrugas cerca de la boca, y aunque haga frío la frente le suda, se le pone brillante.

Pero cuando mamá se pinta las uñas la piel se le pone más suave, más limpia y las manos le huelen rico. Entonces yo me siento cerca de ella, y ella sigue silbando bajito.

Por eso me gustan los domingos. Por el olor. Por mi madre que es feliz esos minutos, sola, mirándose las manos, soplándose las uñas, como si ya se le hubiesen olvidado para siempre los lunes, como si los lunes no existieran ya nunca, como si los lunes no existieran ya jamás.

Dormíamos en un cuarto pequeñito. Mi mamá, Somaira, Agustina y yo.

Augusto y mi papá trabajaban fuera de Madrid. Muy lejos. En el campo, recogiendo fresas, recogiendo papas, recogiendo peras, recogiendo tomates.

Cuando almorzábamos yo agarraba los tomates de la ensalada y le preguntaba a mamá si los habría arrancado mi hermano. Ella me decía que tal vez. Después suspiraba. Triste.

Papá y Augusto venían a veces a la casa. Quemados por el sol: rojos, muy rojos. Yo nunca los había visto tan colorados. Y tenían las uñas verdes. Y las manos le sangraban a Augusto, las tenía rotas, le dolían. Mi mamá se las ponía en agua, le echaba una crema, y papá se burlaba, le gritaba que era un maricón.

Viajaban mucho los dos. Teníamos pocas semanas en España. Me alegraba verlos, pero volvían tan cansados que se dormían a cada rato. Roncaban. Y ahora algunas noches me despierto asustado porque me parece verlos en el salón, roncando, con las luces apagadas y las manos verdes, las manos que les brillan con una luz verde, las manos que les sangran, las manos verdes, las uñas que son verdes y echan sangre verde.

En unos meses volveré a la escuela.

Cuando vinimos para acá estuve unos días, pero la maestra no estaba de acuerdo porque yo llegaba con mucho tiempo de atraso. Luego dejaron de decir nada y me permitieron ir. Yo me estaba tranquilo en un rincón, callado, sin hablar. Creo que así todos éramos muy felices. Yo en mi esquina esperando que Augusto o Somaira vinieran a buscarme, los demás repitiendo cosas que decía la maestra.

Pero un día los otros chicos me invitaron a jugar fútbol. La verdad es que en la televisión parece más fácil, las piernas no me respondían, el balón salía para cualquier parte apenas lo golpeaba con mi zapato.

Comenzaron a reírse de mí. Todos se burlaban. Uno de ellos, creo que el dueño del balón, me gritó que yo era un mulato bruto y aunque lo de mulato no lo entendí lo otro era más fácil.

Tengo fuerza en las piernas. Me acerqué a él. Pum. La barriga le sonaba y hasta yo mismo me asusté cuando vi que la cara se le ponía como un tomate y se caía al suelo. Pum.

Estuve un rato dándole, pum, pum, pum, pum, pum, como un tambor, pum, pum, pum. Pero luego me aburrí y cuando trató de levantarse apunté bien, justo en medio, entonces le metí la punta del zapato y la nariz le sonó igual que una cucaracha.

Hasta yo me asusté porque salió mucha sangre. Mucha.

La maestra habló con mi mamá. Le pidió que no me llevara más nunca.

Pero en unos meses iré a otra escuela. Y aunque me lo rueguen, aunque se pongan de rodillas, no jugaré con nadie al fútbol.

El padre de Marianita suelta unas carcajadas gigantes. Augusto también. Se ríen un montón y luego abren otra cerveza y me piden que vuelva a recitar la proclama. No les hago caso. Marianita también les dice que me dejen en paz.

A mí recitar la proclama me gustaba mucho. Estuve a punto de ganarme el premio. Pero así son las cosas.

En nuestro país, antes de venirnos a Madrid, nos dijeron un día que el niño que se aprendiera mejor la proclama tendría el honor de recitarla frente al Presidente.

Los niños de todas las escuelas empezamos a practicar la proclama, a decirla en voz alta, a poner las manos en el corazón y luego moverlas hacia afuera, como con mucho sentimiento.

«Entre esteros, ríos, sabanas, lagunas y mastrantos, el hoy Presidente y Comandante en jefe transcurrió sus primeros años, siempre bajo la mirada formadora de sus padres.»

Y aquí yo me señalaba los ojos y los abría mucho.

«Ingresó a la Academia Militar a los diecisiete años y allí destacó por su valentía, su talento cultural, su gran arrojo y su patriotismo insigne.»

Y aquí yo debía cuadrarme como un militar, saludar la bandera y darle un besito.

«El Presidente, pese a sus múltiples ocupaciones, trabaja un promedio de 18 horas diarias, cultiva con entusiasmo tanto el deporte como la literatura. Su producción literaria incluye varios cuentos, poesías y obras teatrales. Aficionado también a las artes, sus más conocidas creaciones en estos campos son el cuadro "El Sueño de Róbinson", su obra teatral: "La patria es una mujer"... y su poesía más famosa es: "Mi patria, mi mamá y mi pistola".»

En esta parte yo debía respirar, elevar los brazos (la patria), llevarme la mano al pecho (la mamá) y hacer una pistola con la mano y disparar al aire (la pistola, claro).

«Descendiente de etnias indígenas, de la verdadera raza autóctona de nuestras raíces nacionales y patrióticas, el Mandatario goza de una popularidad jamás vista en la historia política mundial. Auténtico, natural, carismático, poeta, sencillo, son los atributos principales del Presidente y Comandante.»

Y aquí las maestras no sabían muy bien qué instrucción darnos, así que levantando mucho los brazos como apuntando al cielo dábamos un paso atrás: auténtico, un paso adelante, natural, un paso a la derecha, carismático, un paso a la izquierda, sencillo.

«Comentario especial merece el trato del Presidente con nosotros los niños. Tiene una empatía tan especial y es supremamente tierno con cualquier menor, no importa de dónde provenga, especialmente si se trata de niños pobres. Lo cierto es que a sabiendas de ese trato tan especial, los niños a su saludo nos sentimos felices, le saltamos encima al paso por las calles, avenidas, caminos, trochas, veredas, escaleras eléctricas, zaguanes.»

Y aquí yo debía hacer como que subía una escalera eléctrica, como que iba gateando por un camino, como que iba montando en un caballo para encontrarme con el Presidente.

«Lo abrazamos, lo besamos, en fin, no importa el sitio donde se encuentre y violando cualquier norma protocolar. Y las lágrimas que generalmente derramamos los niños sobre los hombros del Presidente-Comandante no son de sufrimiento, sino de una inmensa alegría, porque nuestro Comandante, como cariñosamente lo llamamos, nos devolvió la esperanza.»

Aquí vino la gran equivocación, en esta parte fue que perdí ese premio. Este pedazo lo practicábamos en la escuela con un muñeco que estaba vestido de camuflaje y boina militar. Yo me abrazaba al muñeco y lloraba sobre su hombro al terminar mis palabras. Nadie lo hizo mejor que yo. A todos mis compañeros les gané, y entonces mi papá dijo que había que aprovechar esa oportunidad, que si yo le ganaba el concurso a los niños debía llevar una carta y metérsela en el bolsillo al Comandante. Una carta en la que papá le pedía que nos regalase un apartamento en el edificio de donde nos botaron.

En mi familia todos estaban emocionados. Bueno, menos Augusto que es siempre muy raro. Y practiqué y practiqué hasta que fui ganando los concursos y un día tocó la gran final. Fuimos los cincuenta mejores niños de toda la ciudad. Yo repetí la proclama, lo hice muy bien, lo hice tan bien que mamá y Somaira aplaudían durísimo y las mandaron callar las otras mamás, pero cuando terminé mis palabras y me tocaba lanzarme sobre el muñeco para llorar en su hombro, habían puesto a un capitán de verdad, un señor gordito con traje de camuflaje que no se parecía en nada al muñeco. Yo me quedé un rato sin saber qué hacer, me quedé sorprendido, y cuando me lancé sobre el hombro de ese señor no pude llorar nada, y además el señor olía horrible, olía a orine de gato, entonces yo trataba de no respirar, pero me ponía rojo, cada vez más rojo y no lloraba, nunca pude llorar y me eliminaron. No pude recitar mi proclama en televisión, tampoco darle la carta al Presidente. Y papá se puso furioso.

Pero ahora, algunas veces, Augusto y el padre de Mariana me piden que recite la proclama de nuevo, y se ponen colorados de la risa. Entonces me compran una coca-cola inmensa, o me dan dinero para que vaya con Marianita donde los chinos y nos gastemos las pesetas en muchos helados que hay que comerse rápido para que el sol no los derrita. Y así me olvido de ese premio. Me olvido del apartamento que nunca conseguimos y de ese señor que olía a orine de gato.

Las muchachas que viven en el cuarto con las viejas son dos. Una alta. La otra bajita. Más bajita que Somaira.

Yo no las veo mucho porque se la pasan en la calle o durmiendo en su cuarto con las dos viejas, que son sus mamás.

Mariana me contó hace tiempo que trabajan cerca de casa. En un sitio que abre en las noches y donde la gente va a comer bocatas. Sobre todo los viernes, cuando los muchachos se sientan en la esquina a cantar y luego se vomitan y hacen pipí en la puerta del edificio.

Sobre todo ese día las muchachas tienen trabajo porque atienden a un montón de gente y después se quedan limpiando el negocio, y regresan más tarde que nunca.

Antes, ellas cuidaban viejitos como mi hermana Somaira, pero luego se cambiaron de trabajo y mi hermana les ha dicho que cuando vayan a contratar más gente le avisen a ella. Pero hasta hoy nada. Le dicen que cuando haya chance le avisan.

Las dos llegan en la madrugada. Pero los viernes vuelven casi al amanecer, y se meten a bañarse juntas. Lo sé porque la otra vez yo me paré a hacer pipí y vi que habían dejado la puerta medio abierta pues a esa hora hacía mucho calor y todo el mundo estaba dormido en casa. Casi me meto. Lo que pasa es que escuché las voces y me quedé en la puerta. Un ratico. Las dos se estaban echando jabón y hablaban, hablaban. Yo sentí como que me asfixiaba un poco. Una asfixia rica. Porque era rico mirarlas un poquito y ver que la alta tiene las tetas paraditas y que la baja tiene un lunar en la barriga.

Al final me descubrieron. Comenzaron a reírse. Me sacaron del baño y cerraron la puerta. «Menos mal que eras tú y no tu hermano», dijo una, y después la otra dijo que menos mal por qué y siguieron riéndose.

Ayer cuando regresaba con Augusto del cine las vimos abriendo la tienda. Cargaban una bolsa llena con panes. Mi hermano las saludó y la alta me dio un pellizco en la cara. Nos dijeron que entráramos, y la bajita hizo un bocata de jamón y me lo regaló.

Las dos se reían mucho con mi hermano. Por eso cuando nos fuimos yo estuve a punto de contarle que las había visto desnudas, pero después me quedé callado.

Ahora, algunas veces, las siento cuando llegan en la madrugada. Oigo cómo entran al baño, oigo la regadera que suena, las oigo reírse. Y es casi como si las estuviera viendo otra vez. Casi igual. Cierro los ojos y miro las tetas paraditas de la alta y miro el lunar de la más chiquita. Y me cuesta dormirme. Me cuesta mucho agarrar otra vez el sueño. Porque me gusta cómo suena el chorro de agua. Me gustan los ruidos que hacen ellas cuando se van a acostar. Hasta que suena la puerta de su cuarto y todo queda muy callado, pero igual me cuesta dormirme, porque las sigo viendo a las dos. Como aquel día.

Mariana se tapó la cara con la mano. Mariana se rió mucho. ¿Cómo dijiste?, me preguntó cuando le conté sobre mi amigo Manuel.

Y era eso, que cuando me rompí la pierna Manuel me llevaba en chuco. Y a Mariana le dio la risa, se le puso roja la cara. En chuco, en chuco. Mariana a veces no oye y tengo que explicarlo todo, contarle, pero ella dice que hablo muy rápido, que me pongo nervioso, que no se me entiende.

En chuco, Mariana. Porque me rompí la pierna cuando me caí del techo, porque me pusieron una escayola, porque estaba en el techo buscando una pelota, porque, Mariana, en chuco, porque Manuel me llevaba en chuco, no te rías Mariana.

Es que era navidad. La gente salía a la calle y veía el nacimiento viviente que hacían en la iglesia. La Virgen, San José, el Niño Jesús. Todo el mundo en la calle, y había bailes, y música, y los muchachos patinaban, pero yo estaba en casa con la escayola, el día completo acostado en la cama.

Una tarde Manuel pasó a ver a Augusto. Luego me preguntó si no me fastidiaba. Le dije que sí. Él me montó en su espalda y me llevó cargado sobre sus hombros.

Así que todas las tardes pasaba a buscarme.

Y esa navidad estuve siempre montado en la espalda de Manuel. Y me gustaba ver todo desde tan arriba. Saludar a mis amigos: Diego, Guaicaipuro, o el pelón. Andar por las fiestas, muy arriba. Altísimo. Porque Manuel se reía y la gente me gritaba que era como andar en un caballo y mi hermano Augusto también me cargaba un rato, pero luego se fastidiaba. Sólo Manuel. Todo aquel diciembre llevándome en chuco, y yo tan alto que podía tocar la punta del árbol de navidad, las lámparas de la calle, el aro de la cancha de baloncesto.

Lo que pasa es que ahora que lo cuento Mariana no se sonríe más. Porque otra vez me ve tan pequeño, tan lejos, sin saber de Manuel, tan bajito yo, más bajito que ella, más bajito que casi todos en Madrid, en el barrio, en aquella escuela donde no pude volver. En chuco, le grito y después salgo corriendo hasta mi casa, para acostarme en el mueble y ver la televisión, para no estar más con ella. Porque la odio mucho cada vez que se ríe, cada vez que me pregunta cosas y le causa gracia lo que digo.

Mi hermana me tomaba de la mano cuando cruzábamos la avenida y al llegar a la plaza me soltaba. Después pasábamos una calle pequeñita, una calle más grande y al lado de una pescadería aparecía el locutorio.

Me gusta ir porque siempre huele a empanadas, a empanadas de las que antes me preparaba mi mamá, con harinita de maíz, con azuquita y carnita. Algunas veces Somaira compraba una para que la comiéramos entre los dos.

Lo que pasa es que casi siempre mi hermana decía que son muy caras, que doscientas pesetas es mucho dinero. Pero a mí me daba igual; en el locutorio había mucha gente y me quedaba mirándolos porque todos tenían unas caras muy raras.

Señoras con la cabeza tapada que hablaban extraño. Tipos que usaban cadenas de oro más grandes que las de mi papá. Mujeres pequeñitas y gordas que llegaban juntas y pasaban de una cabina a otra porque conversaban al mismo tiempo con toda la familia que quedó allá, y una señora con la cara blanca y un lunar gigantesco cerca de la boca.

Siempre que íbamos estaba esa señora. Nunca faltaba. Sentadita en su silla, callada, leyendo una revista, esperando que se desocupara alguna cabina. Somaira dice que no entiende para qué se vino si todo el tiempo se la pasa en el locutorio hablando.

La primera vez que la encontré me asusté un poco porque el lunar parecía un animalito que quería metérsele dentro de la boca. Yo la miraba, la miraba, pensaba que se iba a ahogar, que se iba a poner verde como me puse yo aquella vez que me tragué un caramelo y se me atoró en la garganta.

Después no pasó nada que yo recuerde. Habló mi hermana por teléfono, habló la señora por teléfono y nos fuimos caminando tan tranquilos. La señora no se ahogó, más bien se iba comiendo su buena empanada y el animalito cerca de la boca le brillaba con el sol.

Luego yo supe que era un lunar: un lunar grande, un poco rojo, un grano, una pelotica. Pero nunca pude dejar de mirárselo. Era tan brillante. Parecía una de esas hormigas rojas que yo me encontraba en la otra ciudad.

Somaira ya me había reclamado varias veces que mirara tanto a la señora. Lo sé. Ella me había dicho que eso no debe hacerse. Pero el lunar estaba siempre allí. Muy rojo, rojito rojito, parecía una burbuja, como esas burbujas que salen de las ollas de mi mamá cuando está cocinando. Y yo empecé a mirar de lado el lunar, a hacer como que estaba en otra cosa, como que me interesaban los dulces que vendían en el locutorio, como que iba contando los números de las cabinas, pero miraba, me fijaba mucho y el lunar de la señora parecía cada vez más grande, más gigante, como si estuviese inflándose allí mismo y fuese a estallar en cualquier momento.

Así que un día no pude aguantar más. Sé que no estuvo bien. Sé que Somaira me lo había dicho, pero no pude, no pude aguantar. Cuando la señora estuvo descuidada me puse cerca de ella y con mi dedo intenté hundirle el lunar. Lo apreté duro, como para aplastarlo y que ya no brillara tanto, pero la mujer dio un grito. Pegó varios gritos y Somaira salió de la cabina con la cara colorada. Me agarró por una oreja. Todavía me arde de lo duro que me agarró. Detrás de mí se escuchaba la señora y hasta alguien que se reía.

Ahora Somaira ya no me lleva más al locutorio. Yo ni siquiera se lo pido. La veo cómo se pinta la boca, cómo se despide. Y yo me quedo pensando en el lunar de la señora. Me sorprende que fuese tan duro, que no explotase como esas ampollas que le salen en los dedos a Somaira cuando llega el verano.

3

–Domitila...

    –¿Ajá?

    –No sé... es que quería preguntarte una cosa.

    –Estoy cansada, mujer...

    –Lo sé. Si es que no te das cuenta de la edad que tienes. ¿Cómo vas a andar paseando para arriba y para abajo con este calorón? Ni siquiera la gente de aquí lo hace.

    –Me aburro en este cuarto, mujer.

    –Bueno, cualquiera se fastidia, pero dime una cosa...

    –¿Me vas a preguntar por la Somaira y el novio?

    –No... bueno, también, pero no es eso... es el señor... el papá de los muchachos...

    –Ahhhh... ¿Te diste cuenta de que no viene hace tiempo?

    –Pues... al menos los fines de semana estaba aquí. Como un clavel, con su cerveza en la mano todo el día y esas cadenas de oro horribles que se pone.

    –Es verdad. Pero algo pasó. No sé muy bien qué. Pero es raro que no haya vuelto.

    –Tendrá mucho trabajo...

    –Puede ser, le estaban saliendo bien las cosas, parece.

–Demasiado bien. Y no lo digo por envidia, pero es que el otro día me contaron cómo llena las furgonetas de gente cuando está en el campo... parece que da nervio ver cómo los mete, incluso niñitas y niñitos... no sé cómo no se asfixian esas criaturas, y después les toca hacer un viaje larguísimo y a él no le importa...

–¿Cómo lo sabes?

–Porque me dijeron que cobra por persona que lleva a la recogida... mientras más gente...

–El hecho es que no ha venido.

–Sí. Y es raro. A lo mejor por eso es que el niño anda tan fastidioso.

–Pobrecito angelito. Qué culpa tiene de nada. Se sentirá solo.

–¿Solo? Se la pasa con la niñita esa, la que vive arriba.

–¿La que tiene unos lentes grandísimos?

–Ésa. Y te digo una cosa, esa niña tiene algo raro.

–Qué raro va a tener. Es una niña.

–Lo sé. Y no digo que sea malo, pero a veces me la quedo viendo y le noto algo en los ojos... no sé, como si supiera lo que yo estoy pensando, y la otra madrugada me desperté para ir al baño y cuando me fui a levantar escuché su risa, la escuché clarito en la calle y me asomé. Ya sabes, asustada porque me preguntaba qué podía estar haciendo esa niña en la calle a esa hora, pero no había nadie, y yo estoy segura de que la oí reírse. Al día siguiente nos encontramos en la escalera. Me saludó muy cariñosa, iba con el papá, y de repente se rió: era la misma risa que yo escuché en la madrugada. Me quedé impresionada... y en eso la niña se voltea y me dice: «Señora, esto creo que es suyo».

–¿Y qué era?

–Pues una piedra blanca, una piedrita que yo tenía en mi casa de recuerdo de un viaje que hice con mi hija...

–¿Te la había robado la muchachita?

–No... no, mujer, pero es que yo no recuerdo haberme traído eso a España. ¿Para qué iba a traerme yo una piedrita? Y de repente la muchachita la tiene en la mano y me da un beso.

–Mujer, estarás confundida...

–No, no, yo puedo estar vieja, pero loca no estoy. Yo no traje esa piedra. Lo raro es que anoche la busqué y ya no estaba donde yo la había guardado.

–Me asustas. ¿Tú no estarás abusando de esas pastillas para la tensión?

–No me digas loca, mujer. No me gusta que te rías así de mí.

–Bueno, pero si ya no la encontraste... olvídate de eso...

–La encontré. Hace un rato estaba Somaira con el novio en el balcón...

–¿Somaira? ¿Otra vez? ¿Y ese hombre cuándo estará con la familia?

–Bueno, yo me asomé un poquito... para saludarlos, ya sabes, y vi que en una de las macetas de flores que tiene Somaira, allí, estaba la piedrita... como puesta por casualidad.

–Mujer...

–No vuelvas a preguntarme nada, entonces.

–Bueno, si tú lo dices yo no tengo por qué no creerte, pero admite que...

–No admito nada. En cuanto se vaya ese hombre nos asomamos para que lo veas con tus propios ojos.

–Por cierto que ya debe estar por irse...

–Es verdad, seguro que le dice a la esposa que se queda un par de horas más en el trabajo, porque eso es lo que dura aquí haciendo la visita.

–Pobre Somaira. No gana para disgustos. El día de la última bomba estaba cerquita... Qué horrible esas bombas... ¿tú entiendes que en un país con tanta plata alguien ponga bombas? Cómo está el mundo, mijita, pero el caso es que un poco más y Somaira no lo cuenta.

–Bueno, eso sí es mala suerte... pero esto del novio, eso es buscado. Ese hombre no la quiere. Eso se ve clarito. Hasta la mamá de ella se lo dice...

–Y eso que esa señora tiene sus problemas... porque no es normal que el papá de los muchachos no haya vuelto.

–Sí, pero por más que sea, la señora verá que Somaira con ese hombre no tiene mucho futuro...

–...

–Las muchachas ya deben estar por llegar... mejor descansamos un rato. Prende el ventilador... no, más bajito...

–¿Así está bien?

–Sí... oye, por cierto. Lo que te dije de la vecinita, lo de la piedra que aparece y desaparece...

–¿Ajá?

–Bueno, nada, que mejor no volvemos a hablar de eso... No hablemos más...

–¿Te da miedo?

–Miedo no... te lo juro, es más bien como respeto, como que me parece que si una no entiende mucho algo, mejor no ponerle tanta cabeza y ya.

–Bueno.

–Sí, mejor así. Tú ni pienses más en eso. Mejor no hablar más.

A Mariana le compraron un perico. Ella me llamó para que lo viera y cuando estuve arriba su padre me dijo que el perico también era para mí.

Los dos lo cuidábamos, le cambiábamos el agua, le poníamos las pipas para que comiera. Incluso algunas veces bajábamos la jaula hasta mi apartamento para que el periquito también estuviese en mi casa, pero después resultó que una de las viejas del cuarto es alérgica a las plumas y ya no pude seguirlo trayendo, así que lloré un rato y Somaira me dijo que algún día las viejas se irían porque tendríamos una casa para nosotros solos.

Al perico le pusimos nombre, creo que lo llamábamos Chuco, pero ya lo olvidé. Lo que pasa es que llegó el invierno y como hacía mucho frío Mariana y yo decidimos arroparlo para que se sintiese calentico. Entonces le colocamos sobre el nido una taza para que estuviese abrigado. Y a las horas Mariana bajó muy triste, el perico estaba muerto, y su madre decía que a quién se le había ocurrido taparlo.

Al otro día, en la basura encontramos la jaula y se veía el perico tieso, caído hacia un lado. Mariana y yo pensamos que había que enterrarlo. Nos fuimos al único solar vacío que hay cerca de casa. Yo abrí un hueco con mi mano. Las uñas se me llenaron de tierra. Después metimos al perico. Quise hacerle una cruz, pero Mariana me dijo que los chavales que juegan al fútbol se darían cuenta de que estaba allí y lo sacarían.

Nos fuimos caminando. Y esa tarde Mariana tenía el pelo más amarillo que nunca, pero yo no tenía ganas de decirle que ella era catira, yo no tenía ganas de verla agarrándose la punta de los cabellos para mirar cómo el sol le sacaba lucecitas.

A los días volví. Volví al solar sin decirle nada a mi amiga. No sé por qué, pero comencé a quitar la tierra, a moverla con mis dedos, hasta que tropecé con el periquito. Estaba aplastado y se le habían caído varias plumas. Pero lo más raro es que tenía algo que se le movía dentro de los ojos, y miré, y volví a mirar, y me di cuenta que tenía unos gusanitos pequeños.

Por eso me fui hasta la casa. Porque sentía cosquillas en los dientes y sudaba mucho. Me fui casi corriendo. Nunca se lo he dicho a Mariana. Que no lo sepa. Así que lo único que hago es decirle que ella es catira, que tiene el pelo amarillito. Porque a mí me gusta ver cómo el sol le saca estrellas en el pelo a Mariana.

Y del perico mejor no se habla. Ni me quiero acordar de qué nombre le habíamos puesto.

Me gusta mucho el parque. Un parque grande, que desde la primavera es verde y se parece a los parques de allá, pero que no tiene basura y en donde no aparece Sammy Serrano para amenazar a Augusto con una navaja.

Me gusta mucho el parque. Allí paseo en la bicicleta, doy carreras. También algunas veces nos juntamos con otras familias y cocinamos caraotas, arroz, tajadas fritas, y algunos españoles se acercan, comparten con nosotros pero a veces llega la policía y cuando empiezan a pedir papeles nos escondemos entre los árboles, entonces quedan los platos de comida en medio de la grama, junto a la cancha de fútbol, echando humo.

Para ir al parque debemos montarnos en el metro. Yo agarro muy fuerte la mano de Augusto porque si uno se pierde nunca más sale a la calle, y después te roban unos hombres que venden tu corazón a señores muy ricos que se están muriendo en el extranjero.

Por eso no suelto a mi hermano. Lo agarro muy duro y me duele un poco porque él tiene las manos huesudas, pero voy pensando en el parque. Un parque que huele sabroso, que huele suavecito a humo, a grama, a pino.

Pero en el metro viaja mucha gente, y los asientos están muy pegados, entonces yo no pienso en el parque sino que miro a esa señora gorda, esa señora de pelo amarillo y con un crucifijo que nos mira de medio lado, como si le costara respirar cuando estamos cerca de ella, y que aparta las rodillas cuando se tropieza con las rodillas de mi hermano (y luego se baja). Y miro a ese muchacho muy alto que es más negro que yo y que lleva puesto un gorro verde (y luego se baja). Y miro a ese viejito que va como durmiendo (y luego se baja).

Y miro a esa muchacha que lleva un móvil, que sin querer tropieza la rodilla de mi hermano, que luego sin querer vuelve a tropezarla (y luego no se baja). Así que la tropieza, y como hay muy poco espacio los dos siguen sentados frente a frente con las rodillas muy juntas, y tropiezan, y luego sin despegar las rodillas comienzan a moverlas a la izquierda, a la derecha, a la izquierda, a la derecha, y la muchacha no se baja, la muchacha sonríe bonito. La muchacha de las rodillas sonríe calladita y es linda de ojos verdes, es linda de cabello muy negro, y seguro que cuando habla dice lorrrr dosssss, el at lántico, la verdazzzzz, y es tan linda que sigue jugando con las rodillas de mi hermano. Y no se baja. Es tan linda que sigue distraída moviendo las rodillas igualito que mi hermano. Abre, cierra, abre, cierra. Sube un poquito, baja un poquito y las cuatro rodillas parecen como dos animales que juegan. Igualito a los dos gatos que había en la casa y jugaban frente al espejo. Dos gatos. Y mi hermano que también sonríe, sonríe un poco. Pero es tanta la distracción que seguimos de largo y no nos bajamos en la estación de el Retiro y yo le hago señas a mi hermano. El metro sigue, sigue, pero mi hermano y la muchacha están pegados por las rodillas, se mueven, se mueven pero no pueden despegarse. Y la muchacha tiene una falda muy corta, las piernas doraditas, las rodillas doraditas, y las rodillas que se siguen moviendo, pero entonces un señor con la cara roja como un tomate comienza a toser y a agitar su periódico y la muchacha se acomoda en el asiento y despega las rodillas de las rodillas de mi hermano. Luego en la siguiente estación se baja. Augusto con su mano huesuda me agarra, no me escucha cuando le digo que el parque quedó atrás.

Seguimos a la muchacha y en la boca del metro ella se detiene, conversa con mi hermano, toda linda, toda sonrisa ojos verdes, toda rodillas, doraditas rodillas.

Entonces después de un rato nos regresamos al parque mi hermano y yo. Pero tengo muchas ganas de orinar y escondido detrás de un árbol suelto un chorro largo, larguísimo, pero pienso en las rodillas de la muchacha y mientras hago pipí siento cosquillas entre las piernas. Unas cosquillas como mariposas entre las piernas. Unas cosquillas frías, que me hacen temblar. Cosquillas como la muchacha que es linda.

Luego comienzo a correr, a jugar, pero siento algo en medio de la garganta. Corro, corro mucho para no sentir nada, pero estoy contento un rato y luego triste, muy triste. Pienso en la muchacha de las rodillas doradas, pero luego recuerdo a Pilar, la otra amiga de mi hermano, la de la escalera, la que blanquea los ojos y respira como si tuviese asma.

Le digo a Augusto que quiero regresarme a casa, que quiero irme a la escalera, pero él no me entiende, conversa con Jesús, su compañero de trabajo, y fuma, fuma mucho. Hasta que lo halo del brazo para irnos.

Entonces estoy triste. Es como si el día no estuviese lleno de sol, como si yo no estuviese en el parque. Porque todo es como la muchacha que blanquea los ojos, todo es igual que ella con la mirada triste, igual que las rodillas doradas que me hacen cosquillas entre las piernas. Y es tan raro. Como la muchacha de la escalera, como si ella me estuviese viendo, como si me estuviese reclamando algo. Tan triste.

No digas milicos, se dice militares.

No digas gorilita, se dice mi sargento.

No digas loro mandante, se dice señor presidente.

No digas nada de lo que dice tu hermano, no lo repitas, no digas nada que no venga en el libro que ellos leen al empezar la clase, mejor no digas nada, no digas, tú no digas.

(Mamá los lunes antes de llevarme a la escuela. Primer café con leche. Allá en la otra ciudad.)

Madrid es plano. Casi plano. Apenas unas montañitas de nada, unas colinitas, como dice Augusto. Donde yo vivía antes también era plano. Muy plano. La única vez que yo vi montañas fue cuando nos vinimos. Viajamos toda el día en un carro hasta que llegamos cerca de un aeropuerto. Allí dormimos esa noche. Escuchando el ruido de los aviones, esperando que amaneciera para agarrar nuestro vuelo hasta Madrid. Y en ese sitio había muchas montañas.

Lo que pasa es que era de noche. Yo no podía verlas. Yo sólo miraba un montón de luces, muchas luces, y le dije a mi mamá: «Mira, qué cerca están aquí las estrellas» y señalé con el dedo. Ella me dio un beso, me dijo que me acostara, pero yo a cada rato volteaba porque las estrellas estaban allí mismo, como yo nunca las había visto, casi que podía estirar la mano y tocarlas.

Al amanecer nos vestimos para irnos al aeropuerto y me asomé. Enfrente de la ventana estaba una montaña inmensa, y las estrellas se habían ido, y sólo quedaban unas chabolas, un millón de chabolas horribles, unas chabolas más feas que mi propia casa. Entonces en el avión Augusto me explicó que lo que yo había visto eran las luces de las chabolas que estaban en la montaña.

Y cuando Mariana me pregunta por mi país, o por el viaje que hicimos hasta acá, yo le hablo de esa ciudad con muchas montañas, yo le digo que en la noche las estrellas están muy cerca, tan cerca que uno les da con los dedos y quedan temblando. Y creo que jamás le he contado que eran chabolas. «Las estrellas están ahí mismo», le repito y ella se sorprende, y aunque a veces peleamos yo quiero mucho a Mariana, por eso sólo le hablo de lo cerca que estaban esa noche las estrellas.

Las cosas malas pasan de noche. Aquella vez que el agua inundó la casa; o cuando mi hermano apareció con sangre en la camisa; o la noche cuando llegaron los Serrano para pegarnos candela y quemarnos.

Sonó en una ventana. Plufff. Y me desperté llorando. Caminé hasta encontrarme con Somaira que se asustó mucho al verme. Y entonces volvió ese sonido: Plufff, plufff, plufff. Un montón de veces.

Yo pensaba que papá dormía en casa, pero cuando encendimos las luces sólo encontré a mi hermano Augusto, a mi mamá, a Somaira. Así que me asusté mucho. Mi hermano preguntaba dónde estaba papá, pero mi mamá no contestaba. Luego sentimos ruidos en el patio. Era Manuel, el amigo de mi hermano que casi nunca duerme vigilando el carro que se ganó en una rifa. Manuel brincó la pared, nos gritó que los Serrano estaban afuera diciendo que nos iban a quemar.

Así que vi a Manuel con un cuchillo y una pistola en el pantalón diciéndole a Augusto que tenía que salir a la calle a defenderse. Por eso mi hermano agarró el cuchillo y abrió la puerta. Yo escuchaba los gritos de mamá cuando comenzaron a entrar las pedradas y los botellazos. Manuel agarró un palo y salió a ayudar a Augusto. Así que cuando me asomé al patio los vi pegándose con los Serrano. Plaff, plaff. Luego Somaira salió con una tabla y comenzó a darle a Sammy por la cabeza, praca, praccc, praca, hasta que lo dejó tirado en una esquina.

Pero los Serrano eran varios, habían venido con unos primos, por eso acorralaron a mi hermano en un rincón y le pegaban, hasta que él vio la pistola que cargaba Manuel y se la quitó y comenzó a apuntarlos. Allí fue que ellos agarraron miedo y se echaron para atrás. Augusto los amenazaba. Ellos se salieron del patio de la casa. Entonces Manuel le dio a uno de ellos un palazo en medio de la frente y yo vi cómo se iba con la cara llena de sangre.

Esa noche los Serrano no volvieron. Y creo que fue la primera vez que mi mamá dijo que debíamos irnos, que había que mudarse muy lejos, para otro sitio, donde los Serrano no estuviesen cerca. Y yo vi cómo Augusto le preguntaba a Manuel por qué no había usado nunca la pistola y él se rió. Así que miramos la pistola de cerca. Era muy vieja, estaba torcida, hace muchos años que no disparaba tiros. Entonces Augusto respiró fuerte, como si ahora tuviese más miedo que cuando estaba en el patio peleando con los Serrano.

El papá de Chang es el dueño de la tienda de los chinos.

Chang es amigo de Francisco.

Francisco vive dos manzanas más allá.

Los dos siempre se ríen cuando yo le lanzo los tomates a Ismael Prados. Y cuando nos encontramos en el bar, me saludan y a veces jugamos al futbolín.

Ellos no me hablaban mucho hasta hace unos días.

Pero una tarde se me acercaron para preguntarme si es verdad que en la ciudad donde yo vivía antes tienen que construir las carreteras todos los días, porque las hacen hoy en la mañana, y ya en la tarde el monte va creciendo creciendo hasta que tapa la carretera y hay que construirla otra vez.

Yo les dije que sí.

Que uno allá no puede quedarse mucho rato sin moverse porque le van saliendo hojitas en los brazos y luego en el pelo y al rato le salen hojas por las orejas. Así hasta que uno ya no tiene ropa porque el monte va creciendo, creciendo y queda uno tapado, entonces uno es árbol y la familia dice: pobrecito, se volvió araguaney, se volvió apamate, pero ya no lo dejan entrar a la casa porque los árboles tienen que estar en las plazas para que los perros hagan pipí y mis amigos y yo juguemos al loco escondido.

Chang y Francisco se quedaron con la boca abierta. Ahora siempre me preguntan cosas. Por eso les cuento.

Que uno allá vive pendiente porque en las noches salen unos hombres con unas orejas grandísimas que les llegan al piso, el pelo que parece un sombrero rojo, y el cuerpo verde verde, y si te agarran te van comiendo poco a poco, primero un pie, luego una mano, porque te guardan varios días para comerte por partes.

Que uno allá ve los tigres corriendo por el patio de la casa, que después se roban las gallinas y no dejan ni una pluma. Que lo que más les gusta a los tigres son las mujeres embarazadas, que ellos las huelen y cuando las agarran se las llevan apretadas entre los colmillos.

Que uno allá sabe cuándo las mujeres se fastidian porque se toman una taza de chocolate y salen volando. Vuelan mucho rato. Mucho. Y después regresan para contar cómo se ve todo desde arriba.

Que uno allá abre los grifos y salen peces de colores. Muchos peces, y hay que tirarlos en la sartén rapidito para comérselos porque si no suben nadando y se meten en el grifo otra vez y se quedan viviendo en las tuberías y dañan las casas.

Ahora Chang y Francisco siempre me saludan. Me piden que les cuente cosas.

A mí me caen bien. Pero todavía me parece raro que sean tan tontos, que se crean esas vainas que les digo.

Yo estaba chiquito esa vez. Allá, en la otra ciudad. Jugaba al loco escondido, y me escondí tan bien que no me encontró nadie, porque caminando me fui más allá de la zona industrial.

Pero se hizo de noche. No vi más a mis amigos. Salí a buscarlos, pero no encontré a ninguno. Y eran rarísimas esas calles donde yo caminaba.

Llegué a una avenida gigantesca que se llamaba Salaverry. Me temblaban las piernas. No sabía qué hacer, cómo avisar en mi casa que estaba perdido. Creo que lloré un rato. No mucho.

Ya era oscuro cuando vi que por la avenida venía caminando aquel amigo de mi hermano, ese señor raro que tenía una pierna como de palo y usaba un bastón de madera. Lo llamé: Marinferínfero, le dije y él me miró un ratico. Siguió caminando y yo empecé a seguirlo. Nos metimos por plazas, por calles angostas, pasamos cerca de un río negro que olía muy mal. Aquel señor no me hablaba, pero de vez en cuando volteaba la cara para ver si yo seguía detrás de él.

Estaba tan negra la noche que me di cuenta de que habíamos llegado a mi calle sólo cuando estuve en la esquina y vi la casa de los Serrano, la casa de mi amigo Guaicaipuro, mi casa, la casa de Mercedes, el carro verde de Manuel.

Marinferínfero no dijo nada. Agarró su bastón, le pegó unos golpecitos al portón de mi casa. Entonces salió mi hermano Augusto. Me regañó por llegar a esa hora. Marinferínfero siguió de largo. Cuando estaba lejos saludó a mi hermano con la mano y se fue caminando por la zona industrial hasta que no lo vimos más.

En la casa se burlan de Somaira. Dicen que nunca se entera de nada, que vive perdida, que está en las nubes. Y a lo mejor es verdad. Yo por eso no conté nunca lo que nos pasó la vez que ella fue a buscarme ropa nueva.

Para empezar, nunca fuimos a las tiendas. Ella compró un periódico, revisó en los avisos y comenzó a llamar preguntando sobre alquileres de casas. Todo el mundo le colgaba cuando le oían el acento y ella se ponía furiosa, pataleaba.

Cuando yo le pregunté por qué buscaba apartamento si ya teníamos, ella me dijo que estábamos muy apretados, que a lo mejor ella podía mudarse sola, o con su novio, o conmigo y con Augusto. Pero me pidió que no le contase nada a nadie.

Pasamos la mañana entera. Así hasta que en un sitio no le pusieron problemas y le dieron una dirección. Los dos llegamos caminando porque era cerquita. Somaira se veía contenta. Lo raro es que el apartamento que alquilaban era una oficina, una oficina donde vimos a una mujer y a un hombre. Comenzaron a hablarnos, a decirnos cosas, a mostrarnos papeles. Somaira no se enteraba de nada, pero yo le dije que ellos no alquilaban ese apartamento, que ellos le estaban vendiendo unos folios con una lista de apartamentos que se alquilaban. Somaira seguía sin entender, hasta que la muchacha se puso a explicarle y le dijo que en Madrid es imposible buscar casa sin una de esas listas.

Somaira se levantó y les dio las gracias, pero yo vi que el hombre se acercó a la puerta y la cerró con llave. La mujer comenzó a decirle a Somaira que le comprase la lista porque si no jamás conseguiría apartamento, mucho menos nosotros que a lo mejor ni siquiera teníamos papeles. Como mi hermana no le respondía la mujer le agarró la cartera a mi hermana y se la abrió. «Déjame cualquier cosa, déjame una señal», decía la mujer. Somaira se asustó y trató de recuperar la cartera, pero la chica no la soltaba. «Dame veinte mil pelas», le siguió diciendo y yo agarré la mano de mi hermana con mucha fuerza. El hombre también comenzó a decirnos que dejáramos dinero y nos miraba, nos miraba con la cara muy seria.

Al final, la mujer sacó de la cartera el pasaporte de mi hermana. «Déjame esto, déjame esto mientras traes la pasta», decía y mi hermana abrió mucho los ojos porque tenía miedo. Todo le parecía muy raro. «O que se quede el enano con nosotros mientras ella busca las pelas», dijo el hombre. Somaira casi lloraba y me agarraba muy fuerte por un brazo. Pedía que le devolvieran el pasaporte, pero la mujer lo guardó en el escritorio. Sólo después de mucho rato, Somaira sacó de su bolsillo cinco mil pesetas. La mujer le dijo que era muy poco y mi hermana dijo que iría a la casa, que traería más.

La mujer y el hombre se miraron. Mi hermana les dijo que ya volvía, que necesitaba su pasaporte para salir. Después de mucho rogar la mujer se lo regresó.

Y salimos corriendo por las escaleras. Y yo nunca dije nada, porque yo también tuve miedo esa tarde.

Lo que me alegra es que Somaira más nunca habló de mudarse. Sigue con nosotros, durmiendo en la sala.

Mariana y una amiga hacían sus tareas. Yo estaba jugando con la consola, y de repente Mariana se me acerca.

Oye, José Luis, quería preguntarte algo. Ajá. El sábado en la mañana. Ajá. El sábado en la mañana vi a Francisco y a Chang en la plaza. Ajá. Y estaba otro chico con ellos, pero yo llevaba prisa y no estoy segura. Ajá. Y vi que empezaban a lanzarle piedras a los yonquis, los dos que duermen en la plaza y que todo el día se están inyectando. Ajá. Piedras, les tiraban piedras y luego corrían. Ajá. Bueno, ¿no eras tú el otro chico? Ajá. Pues eso, ¿no eras tú? Yo no era. Sería otro, pero yo no era. Vale. Pues vale. Se parecía un mogollón a ti. Ajá. Pero tú no eras. Ajá.

Cuando regresé a mi casa llevaba el rostro colorado. Este sábado no lo haré. Siempre digo eso. Y cuando estoy con Mariana no quiero hacerlo. Pero llega el sábado, busco a mis amigos y me queda doliendo el brazo y me duelen las piernas de tanto correr, porque a veces nos persiguen. Pero juro que yo no tiro a pegarles. Nada más para que se asusten, para que se levanten cabreados, pero es Chang el que ya les ha metido dos pedradas en la cabeza. Y ni si enteran. Nada. Como si nada. Yo sólo lo hago para asustarlos.

Cuando me fui de casa de Mariana ella se me quedó mirando. Yo me despedí rápido. No es culpa mía. Los sábados amanezco raro. Así soy los sábados. En la mañana. Sólo en la mañana. En las tardes Augusto me lleva al cine y alguna vez vamos con Mariana y cuando camino por la plaza ni siquiera volteo a mirar. Casi que no me acuerdo. Bueno, un poco, cuando muevo el brazo porque me duele. Pero ya se sabe cómo son los sábados, claro.

Mi pupitre era el último de la izquierda. El ultimito ultimito, el más último de todos. Era el único pupitre para zurdos que había en la escuela y me lo dieron a mí que no era zurdo, pero llegué tarde el primer día de clase y tuve que quedármelo.

Era incómodo para escribir, pero olía rico. Olía muy fuerte a madera nueva. Era más alto que los otros, un poquito, no mucho. Y cuando me lo dieron ya tenía rayadas unas letras pequeñitas que decían: aquí estuvo Mercedes, que era mi vecina, que estudiaba un año más que yo y que era bien bonita. Por eso le escribí mi nombre, varias veces. Luego le hice dibujitos. Un carrito, un caballo, y luego hice una flecha desde el nombre de Mercedes y hasta mi nombre, pero me dio pena porque me pareció que eso de era de niñitas y la flecha la convertí en un autobús donde iban Augusto, mi mamá, mi papá, Somaira, Agustina, y Manuel. (A Mariana no la puse. Eso fue antes de venir a España y yo no la conocía.)

En las clases me fastidiaba. Lo mejor era cuando venía Somaira a buscarme, o cuando jugábamos béisbol en el patio, o cuando pasaba Mercedes, o alguna otra muchacha bonita y la silbábamos y ella ni siquiera nos miraba.

Ahora, muchas tardes pienso en mi pupitre. Me da rabia imaginar quién se lo habrá quedado. Ojalá Guaicaipuro, que era amigo mío, ojalá Diego, o aquel otro que era pelón y que también era amigo mío y que se me olvidó su nombre. Mucho mejor que se lo hayan dado a Mercedes otra vez, que se lo hayan llevado a su salón. Pero también pienso que se lo puede haber quedado Cara de Sapo o la Jirafa y me cabreo mucho.

Ayer le dije a Augusto que quería llamar para preguntar quién tenía mi pupitre. Él me dijo que eso no importaba, pero que un día de éstos me llevaría al locutorio.

Lo que pasa es que pensándolo mejor yo quisiera que nadie lo esté usando. Nadie. Bueno, un poquito Mercedes, pero mejor nadie. Que esté vacío, de ultimito ultimito, el más último de todos. Y pienso eso y me pongo triste, porque cuando algunos de mis compañeros empezaron a irse quedaba el pupitre solo. Nadie decía nada, pero era muy feo ver aquel pupitre. A veces se lo daban a otro niño, pero casi siempre terminaba tirado en el patio.

Yo mejor quiero que alguien esté sentado en él. Mejor sí. Incluso la Jirafa, que ya habrá tachado mi autobús y habrá dibujado una polla gigante, como hacía siempre en los baños.

Por eso esta mañana le dije a mamá: «Mi pupitre se lo quedó Mercedes», y mamá me miró raro. No entendió lo que le dije.

Mi hermano todavía no trabajaba. No iba a la recogida de la fruta, ni construía edificios, ni piscinas, y pasaba muchas horas caminando por Madrid: mirando periódicos, mirando vidrieras, fumando, fumando mucho.

Un día paseábamos por Atocha. Él y yo. No recuerdo demasiado. Me dolían los pies y me fastidiaba caminar y escucharlo quejarse de la gente, de los coches, de las comidas, de lo flacas que estaban las mujeres.

Augusto hablaba todo el tiempo. Decía que quería devolverse, que no aguantaba.

Después fuimos a comer pollo frito. Mi hermano sacó cuentas. Pedimos dos piezas y una coca-cola para los dos, porque él dijo que yo estaba muy pequeño para tomarme una entera.

Después de comer vi a mi hermano meterse las manos en los bolsillos una y otra vez, hasta que los dejó vacíos. Tenía cuatro monedas de cien. Cuatro monedas que contó varias veces y que apretó duro en la mano.

Salimos otra vez a Atocha. Mi hermano dijo que quería hablar con Manuel, que quería hablar con alguien allá en la otra ciudad, que quería irse. Metió todas las monedas en un teléfono. Marcó un número.

Colgó. Marcó otro número. Augusto estaba bravo, cada vez se cabreaba más porque decía que todos los números estaban comunicando, que nuestro país nunca iba a salir adelante porque la gente se la pasaba hablando por teléfono. Llamó y llamó. Estuvimos un buen rato hasta que dije que me dolían mucho los pies. Por eso Augusto colgó, pero el teléfono le tragó las monedas. No le devolvió ninguna. Augusto empezó a darle golpecitos. Luego comenzó a darle más duro, le pegaba con el auricular, le daba manotazos, sacudía el teléfono. Alguna gente nos miraba, pero a mi hermano no le importaba. Cada vez gritaba más fuerte.

Mi hermano comenzó a meterle patadas al teléfono. Le pegaba durísimo, y me pareció que lloraba. Tenía los ojos aguados. Y era muy raro porque yo casi nunca había visto a la gente grande llorando. Pero Augusto lloraba y le metía golpes a la cabina.

Después se quedó quieto. Creo que arrancó la bocina y la tiró en la basura. No estoy seguro. Sólo sé que Augusto me agarró por el brazo, que caminamos mucho, que mi hermano tenía sangre en la mano. Una gota, una rayita de sangre. Pero no dijimos nada. Augusto ya no lloraba. Caminamos horas hasta que se hizo de noche. Estaba muy oscuro, y a mi hermano se le hizo una roncha que él cada tanto se arrancaba con los dientes, sin darse cuenta, mientras miraba tiendas y fumaba muchos cigarrillos.

Peor que las viejas y las muchachas que tienen alquilado el cuarto eran los señores de las colchonetas.

Cuando nos mudamos a este apartamento mi papá tuvo una idea. Compró cuatro colchonetas y las puso en el balcón. Luego las alquilaba y siempre había gente durmiendo. Dormían unas horas. Luego se iban. Llegaban otros. Dormían unas horas. Luego también se iban.

Mi papá y Augusto vivieron así los primeros tiempos en Madrid. No tenían para alquilarnos un cuarto a nosotros y uno a ellos. Entonces pagaban por dormir varias horas en unas colchonetas.

Por eso, cuando mi padre empezó a ganar pasta y alquiló este apartamento, se le ocurrió que él podía hacer lo mismo y la casa se la pasaba llena de gente rara, de gente con sueño, de gente con la ropa llena de tierra o de pintura.

Cuando vino el invierno papá puso más cobijas para que esos señores se arroparan. Pero el frío era mucho. Papá tuvo que bajar los precios a la mitad, y cuando yo me asomaba veía aquellos hombres con la cara azulita envueltos en las sábanas como si fuesen gusanos.

Hasta que un día mamá dijo que ya no aguantaba esa salidera y entradera de gente en la casa. Papá no le hizo caso, pero ella le dijo que uno de los hombres había querido abrazarla en la cocina.

Papá esa misma tarde botó las colchonetas en la calle.

Ahora en el balcón se la pasan mi hermana y el novio. Un tipo que tiene manchas en la cara y que cuando se siente muy contento se saca un chicle arrugado del bolsillo, lo parte en cuatro pedacitos y me da uno. Un chicle baboso, viejísimo, que yo boto en la basura o que le lanzo al bobo de Ismael que sigue en la calle sentado con un libro abierto.

Y las colchonetas que papá tiró a la basura no duraron ni diez minutos. Mi hermano Augusto todavía se ríe. Le dice a papá que las hubiese vendido. Pero a papá se le hinchan las venas del cuello y la verdad es que sin esa gente todos estamos contentos, hasta creo que nos gusta que mi hermana se pase todas las tardes en el balcón con su novio, el que pica los chicles viejos en cuatro pedazos.

Mi mamá se despertó temprano. Ya no lloraba. Se puso a revisar dentro del escaparate y sacó una caja marrón. Luego la vi ponerse a contar unos billetes que estaban dentro de la caja y me dijo que la acompañara.

Caminamos un ratote bajo el sol. Yo sentía la boca muy seca, como si hubiese comido tierra. Se lo dije y ella me brindó un mosto. Después la vi revisar un periódico, pero iba moviendo rápido las páginas, sin mirar ninguna, como buscando algo que no encontraba.

Así hemos estado mucho rato. Caminábamos, caminábamos. Luego ella empezó con que quería comprarme una camisa, y cuando fuimos a la tienda de repente puso la cara muy seria. Dijo que la compraríamos otro día, cuando ella tuviese dinero.

Yo le pregunté a mi mamá si la camisa era muy cara. Me abrazó.

–No. No era cara. Pero te la compro después.

Entramos a un bar, a este bar donde estamos ahora. Mamá le pidió al camarero que le cambiara unos billetes que ella tenía.

Me bebí otro mosto. Ahora estoy preocupado porque a lo mejor esta noche vuelvo a orinarme la cama, pero mamá no me hace caso. Le dijo al camarero que le explicara cómo se jugaba en las máquinas tragaperras y después de un rato empezó a gastar un montón de monedas. Incluso cuando gana, la miro suspirar, secarse el sudor de la cara y volver a meter el dinero. Ya cada vez tiene menos. Le queda muy poco, y ella parece sentirse más tranquila, como si hubiese tenido un dolor de barriga y se le estuviese pasando.

–¿Quieres alguna otra cosa? Pídela –dice cuando me ve jugando con los hielos del vaso.

Y yo pienso que mamá cuando está sin papá es una persona muy rara.

Con ellos no salgo más. No es por Somaira, no. Es por ese novio que tiene. El que pica los chicles en cuatro pedazos.

A veces mi madre tiene que ir a limpiar alguna casa. Mi padre sigue en el campo. Augusto está en la construcción. Por eso tengo que acompañarlos, y vamos con mi hermanita caminando, caminando, caminando. Cuando me duelen los pies, nos paramos a tomar algo, y el novio de mi hermana saca de su americana una botella pequeñita, y así se pasa la tarde con la misma cocacola, echándole chorritos de un whisky que huele horrible, que Augusto dijo una vez que parece gasolina.

Ayer nos descubrieron. El camarero comenzó a reclamárselo y el novio de mi hermana se levantó de la mesa muy ofendido. Pero luego nos llevó a otro sitio, pidió otro refresco y siguió haciendo lo mismo. Yo me fastidié, porque ese señor sólo me deja pedir un zumo, luego se distrae, hace como que no me oye cuando digo que quiero un helado. Bosteza, se rasca el cuello. Así que comienzo a mirar el cielo para ver cuándo se pone oscuro, cuándo regresamos y ya me dejen subir a casa de Mariana a chatear, a jugar con la consola, a ver televisión.

Es de noche, es de noche, digo a cada rato, pero el novio de mi hermana no me hace caso. Se rasca y se rasca el cuello y hasta que no acaba su botellita no paga la cuenta.

Al regresar a casa le digo a Somaira que su novio tiene sarna, que no se le acerque mucho. Ella se ríe un poquito. Una risa muy rara, como para adentro, como pequeñita. Me acaricia el pelo, me dice que vaya a dormir.

Cuando me besa no me gusta porque huele como ese señor, con el olorcito ese del chorrito de whisky que él va rindiendo toda la tarde. Un olor a gasolina, tan maluco, tan feo.

No me dejan ver a Mariana. Su mamá dice que está durmiendo, que se la pasa durmiendo. Tampoco el señor Cunqueiro ha bajado en estos días. Dice Augusto que está muy triste, que en esa casa todos están tristes.

Mariana duerme mucho. Se queda en su cuarto y no quiere ver a nadie.

Hace dos días bajaron en una camilla a la abuelita de Mariana. No volvió más. Se murió la abuela y Mariana llora tanto que se encierra en su cuarto.

Ayer la mamá me dejó entrar al apartamento. Me dijo que si quería jugar con la consola, que si quería un refresco, pero que Mariana estaba descansando. Yo estuve un ratico en la sala. Me aburrí. No me gustan los sitios tan callados.

Me fui a la calle.

Estar muerto es estar como mi primo. Yo lo vi. Jugábamos algunas veces cuando él y su mamá nos visitaban en la otra ciudad. Pero un día los dos iban en un autobús y chocaron con un camión. Los velaron en la sala de mi casa. Yo recuerdo que mi primo estaba con los ojos cerrados, la boca abierta y que tenía en la cara tres granos de maíz, porque el camión estaba lleno de maíz y los granos salieron volando por todos lados.

Dice mi mamá que yo preguntaba por qué mi primo estaba así, por qué no caminaba.

Lo que sí pasó es que desde esa vez yo sé que morirse es no estar más, es tener la boca abierta y la piel como toda quemada con granos de maíz pegados en los cachetes y en la boca. Y es feo. No me gusta.

Yo no le contaré eso a Mariana porque mi mamá y Somaira me han dicho que me quede callado. Mucho menos debo contarle que su abuela debe haber quedado muy rara. Con tantas arrugas tiene que haberle quedado la cara llena de muchos granos, debe tener millones de granos de maíz entre las arrugas. Y luego los granos van a ir creciendo, creciendo, hasta que salgan las mazorcas y las gallinas se van a comer a la abuelita de Mariana.

Hoy en la casa no salió nadie a la calle. Y es sábado. Y en la mañana no estaba tan fuerte el sol.

La verdad es que casi nadie en el edificio salió hoy a la calle. Bueno, los Cunqueiro, pero no vale porque son españoles. En toda la calle casi nadie salió hoy. Bueno, Ismael Prados, y Francisco, pero también son españoles y no les pasa nada. Y Chang, que también nació aquí, y los papás de Chang, que tienen papeles.

Lo que pasa es que ayer en la noche hubo una feria como a tres manzanas. Augusto fue con Pilar, la muchacha del bajo, la que blanquea los ojos y siempre me pregunta por mi hermano cuando él desaparece. Los vi irse juntos, abrazados. No quisieron llevarme, porque regresarían tarde, pero dijeron que al día siguiente yo los iba a acompañar.

Me dormí. Me costó porque no dejaba de pensar que hoy iba a comer algodón con azúcar; que iba a disparar con las pistolitas; que me iba a montar en el tiovivo.

En la madrugada nos despertamos con un montón de gente corriendo. Salimos al balcón y alguien nos dijo que había habido una pelea, que después llegó la policía.

Mamá quiso bajar, pero Somaira no la dejó. Esperamos un ratico. Vimos aparecer a Augusto que venía corriendo y se metió en el portal. Subió las escaleras y llegó a la casa pálido, sudando. Le dieron un vaso de agua. Después contó que dos tipos se habían emborrachado, que se dieron unas hostias, que él se quedó en una esquina con Pilar, pero que cuando apareció la policía no sólo agarró a los que se pegaban, sino que empezó a darle hostias a la gente y a llevarse a los que no tenían papeles. Así que la muchacha del bajo le dijo a Augusto que se fuera volando, que saliera a millón.

En esta calle faltan cuatro. Uno del edificio que tenía tres días de haber llegado. Uno que a veces le conducía la furgoneta a mi papá; y otros que trabajaban con Augusto haciendo piscinas. Ahora dicen que los van a sacar. Dicen que en el barrio hay un montón de policías, que nos van a agarrar a todos, que nos van a amarrar las manos y en un avión gigante nos van a botar muy lejos.

En la mañana mi mamá no dejaba que yo me asomara al balcón. Pero ya se fastidió de decirme y Somaira se puso allí a planchar.

Somaira, que tiene días tristes y llora un poquito y hace como que tose para que no nos demos cuenta. Porque el novio dejó de visitarla, pero mamá le dice que no se preocupe, que lo que pasa es que es verano, que lo mismo hizo en diciembre, y yo no entiendo qué tiene que ver. Pero Somaira se puso brava y ha planchado ropa como para seis meses.

Yo la acompaño en el balcón. Yo sé que ella está allí por si viene el novio, el que pica los chicles viejos en cuatro pedacitos. Pero la calle está sola. Hoy nadie salió. Yo le digo a Augusto que ojalá el novio de mi hermana venga a visitarla, que la policía lo agarre y lo saquen de España y no vuelva más. Augusto se ríe, Augusto me dice que ese señor sí tiene papeles.

Cuando ya empezó a hacerse de noche, alguna gente salió y dio una vueltica. El mismo Augusto bajó, se estuvo un rato al lado de Ismael, se fumó un cigarrillo, luego subió. Pero mamá no me dejó bajar. Qué día más largo. Ojalá pronto me dé sueño. Lo único que me alegra es que Mariana dice que la gente de la feria tuvo que cerrar porque no había ido casi nadie. Cuatro gatos, apenas. Yo estaría muy cabreado oyendo esa música y teniendo que quedarme aquí encerrado. En cambio la calle está muy sola. Parece muerta. Hace un rato vi dos perros oliendo la basura. Sólo están ellos.

A mi abuelo lo recuerdo un poco. Era un señor gordo, gordísimo, que se la pasaba sentado en una silla y tenía un bastón de madera.

No me olvido de su cara. Era grandota, gigante, como un balón de fútbol a punto de explotar. Pero además tenía el cuello lleno de arrugas. Un montón de arrugas, de venas. Y a veces no tenía dientes.

Vivía cerca de casa y Somaira iba a llevarle la comida. Yo la acompañaba porque el abuelo estaba muy viejo y se había ido poniendo un poco loco. A veces empezaba a gritar que lo queríamos robar, o si Somaira tardaba en ponerle la comida en la mesa se levantaba y le tiraba un bastonazo que te cagas.

No recuerdo demasiado al abuelo. Sólo un poquito. Mamá dice que la gente cuando me veía decían: «este niño es igualito al abuelo» y yo lloraba mucho. Pasaba un rato llorando, hasta que un día me preguntaron qué me pasaba y yo dije que el abuelo era horrible, que lloraba porque yo era feo como el abuelo. Fue Augusto el que me dijo que éramos igualitos, pero cuando el abuelo estaba pequeño como yo, hace muchos años, en las fotos amarillas esas que mamá guarda en una gaveta.

Eso dicen. Que no lloré más después de eso. Pero un día le pregunté a mi mamá si cuando yo fuese viejo sería tan feo como el abuelo, y ella me dijo que no, que al abuelo se le habían caído los dientes y le habían salido esas arrugas porque no le gustaba comer sopa. Por eso yo siempre repito cuando mamá pone en la mesa esas aguas coloradas con manchitas de aceite que saben horrible.

Francisco y Chang me dicen que esa vaina es mentira. Que son cuentos. Pero yo por si acaso me tomo mis sopas aunque tengan un sabor tan maluco. Yo no quiero estar nunca así de feo, ni quiero pegarle bastonazos a Somaira.

Porque no está mi papá. Porque si estuviese le decía que baje y le pegue un coñazo a Ismael Prados, que busque al papá de Ismael, que le dé una hostia.

Porque no está Augusto. Que si no.

Eso me pasa por gilipollas. Por pajúo.

Mariana me dijo que tenía que pedirle perdón a Ismael por tirarle aquel tomatazo. Y como yo quería que ella dejase de estar brava me fui tempranito a la calle. Vi a Ismael sentado donde siempre. Como un bobo. Con el libro abierto.

Me senté al lado de él. Estuve callado. Podía estarme así un ratote, pero vi que en la esquina aparecían Chang y Francisco. «Oye, que me perdones, tío. Que me perdones», le dije rápido y él se me quedó viendo. Como un bobo. Y de repente me escupió. Ploffff. En toda la cara. Me limpié con la camiseta. Salí corriendo porque si me quedaba allí un poquito más le partía la boca a patadas. Allí mismo. Le iba a dar más duro que lo que le dio el papá. Capaz que lo curo con la hostia que estuve a punto de pegarle. Por eso me fui, me encerré en mi casa, le zampé golpes a la puerta mucho rato, hasta que mi mamá llegó de la calle y me gritó que si estaba loco, que me metiera en la regadera y me bañara para que se me quitara el cabreo.

Porque no está Augusto. Que si no.

Ayer saqué mi guante de béisbol. Casi nunca lo hago, para qué, si en Madrid casi nadie sabe qué es eso. Pero ayer me fui con Augusto porque le habían dicho que en un sitio se reunía gente a jugar. Cogimos un autobús, estuvimos mucho rato por calles que yo no conocía, y yo pensaba, en cualquier momento se acaba Madrid, pero no, seguía, seguía, seguía. Cuando llegamos a un barrio lleno de jardines y de edificios de ladrillos rojos, nos bajamos a preguntar.

Era sabroso oler el guante. Olía a cuero. Muy rico. Yo metía la nariz en mi guante y me acordaba de todas las tardes cuando jugaba con Guaicaipuro o con Diego, y no había rolling que se me pasara, ni línea, ni fly, ni ningún batazo.

Pero acá en Madrid... Una vez saqué el guante para mostrárselo a Mariana. Ella lo miró como un animal raro, le dio vueltas, me preguntó cómo se usaba. Después le expliqué las reglas del béisbol y Mariana me escuchó un ratico, pero dijo que no entendía. Otro día lo bajé para mostrárselo a Chang y a Francisco. Se lo probaron, jugaron con la pelota pero eran muy malos, se les caía todo el tiempo. Al final Francisco se puso el guante de sombrero.

Yo lo guardo en papel periódico. A veces lo saco y camino por la casa con él: ahí va una línea entre pri-

mera y segunda, y tremennnnndo ouuuuuut, señores, tremendo out, de cabeza, José Luis se lanzó de cabeza y capturó la bola. Somaira me pide que me
mueva de la sala, que la deje ver televisión, que justo
están pasando la novela. Ahí va un fly corto por el jardín central, la pelota va a caer en tierra de nadie, pero
José Luis corre, corre, se mete en el jardín y capturó la
booooola, señores. Gran jugada. Una de las viejas del
cuarto se me queda mirando con rabia porque las
muchachas están durmiendo la siesta. Me voy al balcón. Rollingcito lento por segunda base, José Luis in-
tenta agarrar con la mano limpia, lo hace, tira a segunda, un out, de vuelta a primeraaaaaaa: doble play,
yyyyyyyy se terminó el juego. Mamá tiende la ropa,
me dice que baje a jugar en la calle. Así no hay forma.
Así no hay manera.

Ayer mi hermano me llevó a un sitio donde dicen
que se juega béisbol. Caminamos mucho rato y preguntamos y preguntamos. Yo fui el primero en ver el
campo. Lo reconocí clarito. Salí corriendo y comencé
a correr las bases. Después de un rato me di cuenta
que estaba solo. Me pareció muy triste un campo de
pelota cuando no hay nadie jugando. Además era pequeñito.

Me di la vuelta y mi hermano estaba con una muchacha. Me acerqué. Era bien bonita. Después de un
rato me acordé que era la chica del metro, la que se
había puesto a jugar con las rodillas de mi hermano.
Los vi besándose.

Cuando me devolví a donde ellos estaban la muchacha me despeinó con su mano. Odio que me des-
peinen. Un día de éstos voy a irme por la calle
despeinando a todo el mundo: a las viejas, a las mu-

chachas, a los viejos. Voy a despeinarlos a ver si les gusta.

La muchacha me habló: qué chaval tan majo, dijo. La verdad es que es bien bonita y tienes unos ojos verdes verdísimos. Luego comentó que hasta hace un rato habían estado unos señores jugando, que siempre venían los sábados, pero que nosotros llegamos tarde.

Augusto prometió que volveríamos el próximo fin de semana. Luego comentó que la muchacha vivía muy cerca, que por qué no íbamos un rato a visitarla. Fuimos. Me fastidié. Yo quería jugar béisbol. Y cuando llegamos a ese apartamento había como cinco chicas que estaban estudiando y todas comenzaron a despeinarme. Después se les debe haber acabado el tabaco porque todos fumaban del mismo pitillo y se lo iban pasando de mano en mano. El apartamento olía a humo. Al rato me dieron una coca-cola y me pusieron dibujos animados en la tele. Pero me quedé dormido, porque esas comiquitas son para niños chiquitos, para pendejitos.

Duramos mucho rato en esa casa. Mi hermano cocinó para las chicas. Luego empezó a enseñarlas a bailar salsa, pero la muchacha que conoció en el metro y que se llama Ángeles, se puso brava y se acabó la clase.

En la tarde nos regresamos. Otra vez las chicas volvieron a despeinarme. Yo me sentía como un gilipollas caminando con mi guante de béisbol. Ángeles nos acompañó a coger el autobús. Le dio un besazo a mi hermano y me dijo que el próximo fin de semana quería verme jugando.

Me recosté de Augusto. Me gusta estar con él. Pero iba muy serio. Me pidió que no le contase a Pilar nada

de lo que habíamos hecho. ¿La que blanquea los ojos?
estuve a punto de preguntarle, pero me pareció feo y
me quedé callado. Cuando llegamos al barrio, Pilar estaba en la puerta del edificio. Se nos quedó mirando y
comenzó a preguntarle cosas a Augusto. Yo seguí de
largo. Subí las escaleras. Me dolía la barriga. No sé por
qué pero de repente me sentí mal. Horrible. Me dolía
la barriga, pero fui al baño y nada. Tan horrible que
yo me sentía. Tanto que se me olvidó guardar mi
guante, y en la noche Agustina lo estaba mordiendo y
tuve que darle una hostia, y luego mi mamá me dio
una hostia a mí. Pero eso es otra historia, claro. Quién
me manda dejar el guante tirado en la sala.

Temprano en la mañana mamá vistió a Agustina. Me vistió a mí. Después nos fuimos.

El autobús estaba lleno. Mi mamá iba cargando a mi hermanita, pero nadie le dio el puesto. Aquí no se hace. Había un montón de chavales leyendo el periódico. Mamá siempre se queja de que la pueden ver con la bebé a punto de caérsele, pero nadie se levanta.

Yo me agarré duro de un tubo y me quedé callado cuando vi a una gorda sacándole la cartera a un señor que iba leyendo un libro. Mi mamá siempre me dice que no me meta en lo que no me importa. Luego el señor empezó a dar gritos, a llamar a la policía. La gorda se bajó corriendo.

Por la casa hay dos o tres que se la pasan haciéndole lo mismo a los turistas perdidos que se meten en el barrio. Hace tiempo uno le sacó la cartera a mi papá, pero nos dimos cuenta. Mi papá lo agarró por el pelo, lo tiró contra el piso, luego cuando quiso levantarse le metió un carajazo en el pecho y le dijo: te equivocaste conmigo, conmigo no, conmigo no. El hombre trató de sacar una navaja, pero mi papá se la tumbó a patadas.

Va a venir uno de tan lejos a que lo jodan, dijo papá. Y desde ese día, esa gente ni nos mira. Ni los yoncarras de la plaza se le acercan. A uno de ellos papá también le metió un empujón porque un día se le tiró encima a pedirle dinero. Quítate, pendejo, no te me pegues, ¿tú eres marico?

Y lo que pasa es que hoy volví a ver a papá. Tenía tiempo que no volvía del campo. Lo raro es que lo visitamos en un hostal. Estaba muy serio. Nos dio un abrazo a Agustina y a mí. Chévere cambur, chévere cambur, me gritó. Mamá le dijo algo así como aquí están los niños, los traje para que los veas. Pero los dos estaban muy raros. Yo le pregunté qué hacía en un hostal. Por qué no había ido a casa. Él dijo que pronto volvería, que tenía demasiado trabajo.

Mi mamá y él se quedaron hablando bajito. Nos miraban y seguían hablando bajo. Yo estaba muy pendiente de Agustina, de que no metiese los dedos en ninguna parte, de que no tumbara nada. Igual me di cuenta de que en una parte papá se puso muy bravo por algo que mamá le dijo. Las venas del cuello se le hincharon.

Al final, parecían más tranquilos y él le pasó el brazo por los hombros.

Cuando nos regresamos a la casa, mi madre iba un poco sonreída.

Después, mamá se puso a preparar el almuerzo y vi que Somaira y Augusto empezaron a hablar bajito con ella y se molestaron. Mi hermano se fue. Le dio durísimo a la puerta. Acá pasa mucho. Cuando está papá en casa lo oigo gritar a cada rato y luego tira la puerta. Yo me asusto con los gritos que papá le pega a mi hermano y a mi madre. Pero peor es cuando oigo gente hablando bajito.

Hace un rato me metí en el baño a matar hormigas, pero apareció mamá y me sacó por una oreja. Al-

guna de las viejas del cuarto le dijo que necesitaba entrar a hacer pipí y yo no la dejaba.

A mí cuando la gente grande empieza a hablar bajito no me gusta porque comienzan a ponerse raros,
termino yo siempre castigado, y me arde la oreja. Me
arde mucho.

Tuve fiebre en la noche. Dormí mal. Por eso en la tardecita me quedé dormido en el sofá y Somaira me arropó con una sábana y no dejó que nadie prendiese la televisión.

Al rato llegó Mariana. Me parece que se acercó a mirarme, luego le preguntó a Somaira cómo seguía. Ella le dijo algo. Yo me despertaba, me quedaba dormido, pero no abría los ojos.

Mariana se sentó un rato con mi hermana a verla tejer. Cada tanto volteaba a mirarme y se acomodaba las gafas, como si le molestaran. Después me pareció escuchar que Francisco me llamaba a gritos desde la calle y Somaira se asomó a decirle que yo no podía bajar. Pero no estoy seguro. Me dolía la cabeza, me ardía la garganta. Si seguía enfermo, el señor Cunqueiro me llevaría al hospital. Eso dijo mamá, que era lo mejor, para que nadie estuviese preguntando por el permiso, por los papeles.

Me dormí un buen rato. Cuando desperté estaba empezando a oscurecer. Somaira estaba peinando a Mariana. Le pasaba el peine suavecito por el cabello. Y las dos se miraban en el espejo. Sonreían.

Yo creo que era muy bonito verlas. Mi hermana comenzó a hacerle trencitas a Mariana. Y estaban las dos muy calladitas, se miraban mucho en el espejo, con una mirada que yo no les conocía. Los ojos brillanticos. Y la casa estaba muy callada, pero no era feo. Era sabroso que todo estuviese así. Que sólo se escuchara cuando Mariana movía un poco la silla, o cuando Somaira silbaba. Y cuando terminaron se sonreían tan bonito. Yo nunca había visto unas sonrisas tan ricas como las que ellas tenían mientras se movían frente al espejo, mirándose, haciendo monerías, morisquetas.

Me volví a quedar dormido. No quise hablarles porque me parecía que podía fastidiarlas. Pero me dormí sabroso. Feliz. Los días siguientes me sentía curado. Y yo creo que fue desde ese momento cuando empecé a mejorar. Y siempre estoy esperando que mi hermana peine a Mariana, pero nunca más lo ha hecho. A veces me provoca decirles que quiero verlas, pero después me callo. Mi papá (que volvió ayer a la casa y durmió con nosotros) dice que yo no debo ser tan raro, que no debo pasar tanto tiempo en el baño matando las hormigas, que no debo jugar tanto con la niñita esa, que no debo hablar tan gallego. Mejor me quedo callado entonces, a ver si al fin me regala una cadena de oro como esas que él se pone y que se le ven con la camisa abierta.

Soy el Capitán Centella. Por la ley y la justiciaaaaa. Capitaaaaán Centella. Avanzo en mi moto mientras suena la musiquita y llevo en la mano derecha un látigo. Llego a Moncloa y allí están cuatro pelones con botas militares rodeando a Jesús, el compañero de trabajo de mi hermano Augusto. Lo rodean y le meten empujones, le caen a patadas, pero en eso aparezco. Capitaaaaaaaaaaán Centella. Y les doy un latigazo en la cara a los dos más grandes. Después me monto en los árboles con mi moto, doy una vuelta en el aire y caigo en la calzada. Cabrones, me cago en vuestros muertos, les grito a los otros dos y salto desde la moto y les meto una patada en la cara.

Jesús, el amigo de mi hermano, está tirado en el suelo, pero yo lo levanto. Los cuatro pelones con botas militares se me lanzan encima otra vez. Golpeo a dos con los puños, y a los otros les lanzo unas estrellitas de metal que se les clavan en las piernas. Capitaaaaaaaaán Centella, grito durísimo y el aire me mueve un poco la máscara blanca con la que oculto mi verdadera identidad.

Augusto me dice que ya debemos irnos. Jesús tiene que descansar. Ayer cumplió años y como estaba solo en Madrid se fue a Moncloa a comprarse un reloj para celebrar su cumple. Lo que pasa es que cuatro pelones lo agarraron a golpes nada más verlo paseando por el parque del Oeste y lo dejaron tirado en el piso. Ahora le faltan dos dientes y no escucha por un oído.

Mi hermano debió haber estado con él. Salen juntos del trabajo, pero Augusto dejó de trabajar varios días para irse con Ángeles a un sitio que se llama Salamanca, y después a otro que se llama Aveiro. Y mi hermano regresó esta mañana con la piel bronceada. Y Pilar, la chica del bajo, empezó a insultarlo. Se puso a llorar y él la abrazó un ratico, le dijo algo en la oreja y ella ya no quiere verlo nunca más en la vida.

Por eso mi hermano no estaba con Jesús, por eso se salvó de que los pelones esos le cayeran a golpes. Así que ahora soy el Capitaaaaaaán Centella. Mi hermano se ríe. Esa serie es viejísima y aquí en Madrid no la echan en la televisión, me dice. Yo también la veía, me repite, y yo no le hago caso pues arranco mi moto y cuando llego al parque del Oeste empiezo a agarrar pelones y les doy una hostia que les saca las muelas. Por la leyyyyyy y la justiciaaaaaaaaa. Y uno de los pelones tiene agarrada a Somaira por el pelo, y le grito, si la pegas te mato, así que el pelón corre, yo saco mi pistola, pero disparo al aire, pum pum pum, monto a Somaira en mi moto. Después ella me lleva a comer un bollicao y yo me quito la máscara sin que nadie se dé cuenta, y otra vez soy José Luis y Augusto me dice que deje de dar tantos brincos, que nos van a sacar del autobús, Capitán Centella.

4

–Domitila...

–¿Mmmmmmm?

–¿No me vas a contar lo que pasó anoche?

–Tú también lo oíste, mujer.

–Pero es que no entendí. Bueno, entendí una parte, cuando el señor ese nos tocó la puerta y dijo que si descubría que teníamos un ventilador lo tiraba por la ventana... qué susto con ese señor, pero no, no hablo de eso sino de lo que pasó antes... ¿El problema es con la muchacha?

–Pues sí.

–¿Por el novio que no vino más?

–No, por eso no, mujer. Si eso es lo de menos. Lo del novio es facilito de entender. Estamos en verano.

–¿Y qué pasa?

–¿No recuerdas que en diciembre hizo lo mismo?

–Verdad que sí. Se puso bravo un día y no volvió hasta enero.

–Hasta el ocho de enero, mujer, que estaba mi hija cumpliendo años.

–Es verdad. Pero no comprendo qué tiene que ver.

–Que era navidad. El tipo se inventó una pelea, se puso furioso y se fue. ¿No te das cuenta? Así pudo pasar las fiestas con la familia, con la esposa, con los hijos. Después en enero, ya volvió tranquilito... Ahora va a hacer lo mismo. Vacaciones de verano. El hombre se pelea con la Somaira y te aseguro que se fue a la playa con la mujer y los muchachos. Ya en el otoño aparece otra vez, pide perdón y le vuelve a decir que su matrimonio está a punto de romperse.

–Qué vagabundo.

–Yo no sé cómo esa muchacha le sigue creyendo todas sus mentiras.

–Es verdad, porque al principio yo pensaba que ella sentía que ese hombre podía representarla, ponerle una casita, sacarle los papeles. Pero después ella empezó a trabajar y lo peor es que...

–¿Qué cosa?

–Que es ella la que lo invita. Salen a dar una vuelta y yo la veo contando sus billeticos. Además un día el hermano se lo criticó. «No te da pena invitar a ese hombre.» Pero es que el tipo se va a los bares y lleva escondida una botellita de whisky... para no gastar.

–Ay... es eso lo que huele... Ya decía yo que ese olor era horroroso. La casa queda así cada vez que ese señor viene a hacer su visita.

–Es que es muy avaro.

–Bueno, allí tienes otra razón por la que siempre se pelea cuando vienen vacaciones. Así se ahorra el regalo de la navidad; y así no gasta una peseta en invitar a la Somaira a ninguna playa en verano. Ya decía yo que era muy raro. Fíjate que hace días lo vi con una tijerita picando chicles que acababa de comprar.

–No te lo creo...

–Pues sí. Para que le duren más.

–¿Y será que ella es tonta?

–No, mujer, si es una buena muchacha. Muy trabajadora. No sé... en nuestra época las mujeres pensaban que sin un hombre no se podía estar... Pues, ella será un poco así. Le gustará que él le dé sus besitos de vez en cuando...

–Qué horror. Pobrecita. O sea que no está engañada...

–Para mí que ella se hace la engañada. Esa muchacha no tendrá estudios, pero tan boba no puede ser. Primero el asunto ese de que el hombre no se divorciaba porque le faltaba un papel de la embajada. Al tiempito, ella insistió tanto que el papel apareció, pero el hombre le dijo que no podía divorciarse porque la esposa estaba muy enferma, tenía un cáncer en el útero y le quedaban semanas de vida...

–¿Le dijo eso?

–Ajá y ella los encontró un día en el Retiro paseando felices y después le reclamó...

–¿Y él que dijo?

–Que la mujer había tenido una curación milagrosa. Que era un milagro de la Virgen y que en un sueño había visto que la virgencita le decía que no abandonara de una vez a su esposa o se volvería a enfermar.

–Qué vagabundo.

–Aquí mismo en el balcón le dijo todas esas cosas. La Somaira lloró mucho.

–Debió botarlo de la casa.

–Pero después él la siguió visitando. Le decía que estaba a punto de dejar la casa, que la mujer ya se veía mejor de salud y que cualquier día la dejaba y se casaba con ella.

–¿Que se casaba con Somaira?

–Eso le dijo a la propia Somaira... Lo que pasa es que bueno... lo que tú me contaste... lo del apartamentico de la mujer. Ya no me acuerdo muy bien...

–Sí, sí. Y mira que yo estaba ese día medio resfriada, pero los gritos se escuchaban aquí. Somaira le reclamó porque cuidando una viejita por Aluche se enteró que el novio le acababa de comprar un apartamento a la esposa.

–Hay que ver...

–Tremendo apartamento.

–Si es que tiene una cara de mentiroso y vagabundo...

–Y claro...

–Le dijo que para poder divorciarse le había comprado un apartamento a la mujer.

–Eso... Qué cara dura. Qué sinvergüenza... Pero bueno, ahora que volvió el papá de Augusto, a lo mejor ese hombre se comporta mejor...

–No, mujer, ni creas eso. Primero, porque ese hombre cualquier día agarra y se vuelve a ir. Está furioso con la esposa porque cuando se separaron, ella agarró unos ahorros que tenían y se los gastó en las maquinitas esas... las tragaperras...

–¿De verdad?

–Peseta a peseta.

–Esa señora estaba esos días como loca. Tanto llorar no puede ser bueno. Bueno, pero el hombre ya volvió... y mira que vivíamos mejor sin él...

–Sí, pero ése fue el problema de anoche, mujer.

–¿Los gritos?

–Ajá... y no sólo gritos. El hijo y el papá se dieron unos empujones.

–No te creo...

–Sí. Por eso se van.

–¿Quiénes?

–Augusto y Somaira.

–¿Por qué?

–Eso es lo triste. El otro día, cuando las muchachas llegaron de trabajar me cuentan que se estaban bañando y...

–Se les volvió a meter el muchachito...

–No, no, se les metió Somaira y les pidió que la dejaran quedarse allí un rato. La pobre estaba llorando. Las muchachas le preguntaron qué pasaba y ella no les dijo nada, pero cuando se venían al cuarto, vieron al señor sentado en la sala fumándose un cigarrillo...

–¿Al papá de los muchachos?

–Ese mismo. Parece que el problema es ése. El hombre ha tratado varias veces de manosear a Somaira. Por eso se fue. La esposa lo botó de la casa, pero ahora volvió y...

–Otra vez quiso hacer lo mismo.

–Ajá y Augusto se lo reclamó y se empujaron y casi se pegan...

–Mujer, qué horror. ¿Y la mamá qué dice? Es su hija, por más que sea.

–No dice nada. A lo mejor piensa que si se lo vuelve a reclamar el hombre la deja otra vez.

–Qué horror.

–Entonces Augusto se va de la casa y se lleva a Somaira.

–Por eso es que lloraba...

–Sí, ella no quiere porque prefiere esperar al novio. Pero Augusto le hizo la maleta... se van mañana.

–¿Y ella no comentó nada?

–Pues que a lo mejor el novio regresa a buscarla y no la consigue, pero Augusto le prometió que él le avisaba al tipo que se irían...

–¿Y tú qué crees?

–Eso debe ser mentira. Se lo dirá para que la muchacha no se quede aquí... cualquier día de éstos el esposo de la mamá la desgracia. Si es que a mí ese hombre no me gusta, con todas esas cadenas de oro.

–Y la vez que empezó a romper cosas porque estaba medio borracho...

–Ni me lo recuerdes.

–Entonces se queda la señora con los dos hijos pequeños...

–Quién sabe.

–Mujer, qué calor está haciendo. Provoca desnudarse y salir a la calle dando gritos. Ojalá esta gente empezara a pelear otra vez...

–¿Para qué?

–Para prender el ventilador. Me estoy ahogando, mujer.

Tercera noche

El olor regresó impregnando el cielo con una textura cristalina.

José Luis despertó. Miró a su madre. Dormida, exhausta. Tocó el rostro para ver si respiraba y sonrió al sentir un vaho tibio mojando su mano.

Salió de su casa, recorrió en pocos segundos la escalera y al llegar a la calle distinguió a Mariana recostada en el portal. ¿Trajiste la piedra?, preguntó ella y José Luis asintió en silencio. Mariana le hizo una seña. Avanzaron unos minutos sin pronunciar palabra y al llegar a Tirso de Molina distinguieron un camión de basura que se deslizaba por la calle. Un hombre muy pequeño, de nariz roja en forma de garfio, descendió del camión y señalándolos con el dedo se dirigió a ellos: buscad en el pozo; o buscad al lobo, dijo con voz cortante y sin esperar respuesta se dio la vuelta cargando una bolsa repleta de frutas podridas.

Mariana tomó a José Luis por el brazo. Con una suave presión lo fue conduciendo en medio de callejuelas penumbrosas en las que se encendían las ventanas: cuadrados amarillos en los que asomaba la silueta de algún insomne, de algún fumador que arrojaba a la mitad de la calle un cigarrillo que parecía una luciérnaga agónica y humeante.

Llegaron a la plaza de San Andrés, buscaron la casa de la esquina y abrieron puertas de sonidos chirriantes y espesos. José Luis aferraba entre sus dedos la piedra blanca que había obtenido la segunda noche. Caminaron por varios pasillos hasta que se encontraron frente a un pozo que parecía un ojo de miel oscura. José Luis empezó a mirar y a mirar hacia adentro y no distinguía ninguna forma, ningún detalle. Acá no se siente el olor, comentó y en un descuido la piedra que había rescatado de la ciudad de los mouros cayó hasta perderse en la oscuridad de aquel orificio. La piedra, la piedra, gritó Mariana desesperada, y José Luis lanzó un manotazo inútil para intentar capturarla, pero sólo consiguió perder el equilibrio.

Mariana estuvo silenciosa unos segundos hasta que se dio cuenta de lo que ocurría. Se encontraba sola y José Luis había desaparecido dentro del pozo. Fue tanta la tristeza de la niña que empezó a llorar, a llorar y llorar, hasta que sus lágrimas fueron cayendo como un hilo de agua salada. Desde sus ojos cada vez bajaba un torrente más grande y ella escuchó la voz de José Luis que susurraba y aunque no entendió sus palabras sintió que debía seguir llorando. Por eso estuvo así horas y horas, hasta que sus lágrimas llenaron el pozo y lo llenaron tanto que José Luis reapareció sonriente, con la piedra blanca entre las manos.

Corrieron hasta que les faltó el aliento.

Sentados en un banco de Quevedo, José Luis volvió a sentir el olor. El árbol, el árbol, recordó con euforia. Alzaron la vista y frente a ellos se levantó una silueta. A ratos parecía una montaña azul; otras, la silueta de un barco encallado. Comenzaron a caminar hasta que al llegar a Bilbao el árbol se levantó frente a ellos como una figura llena de brazos y ojos.

José Luis ascendió por las ramas y recordó que debía encontrar su propia palabra, y que al comenzar la noche aquel hombre le había hablado del lobo. Miró y miró, hasta que descubrió en una de las entradas del Retiro una manada de ojos brillantes, rojizos y sanguíneos. Creo que están hacia la plaza del Niño Jesús, comentó en susurros. Mariana le agarró la mano y le dijo: guarda bien la piedra blanca que llevas, tenemos que hacerle una trampa a uno de esos lobos. Tienes que reconocer a cuál de ellos.

Con sigilo caminaron un buen rato hasta que escondidos en la copa de un pequeño árbol lograron atisbar la manada que devoraba una oveja. José Luis contempló en silencio a cada uno de aquellos animales y uno de ellos le pareció distinto al resto: quizás un poco más grande, un poco más torpe.

Cuando los lobos acabaron con la oveja, Mariana le hizo una seña a José Luis. Llámalo, llámalo en voz baja. Si es el que buscamos vendrá. José Luis comenzó a susurrar algunas frases y el lobo empezó a acercarse, a alzar sus orejas. Lanza la piedra al suelo, lánzala para que él la huela. Así lo hizo y el lobo se aproximó presuroso y estuvo un rato olisqueando la piedra blanca que José Luis había conseguido en el mundo de los mouros. Ahora salta sobre él, dijo Mariana y le dio un pequeño cuchillo, salta y hazle un pequeño corte en el lomo. Muy pequeño, muy pequeño, insistió.

José Luis obedeció lleno de miedo. Cuando cayó sobre el animal sintió cómo se erizaba, pero sin darle oportunidad de huir o de llamar al resto de la manada, le hizo una pequeña herida. El lobo saltó un par de veces y luego cayó de lado. Su piel se fue secando y desde ella apareció un hombre anciano, con una inmensa barba blanca, un hombre que caminaba con un bastón y tenía un olor acre, intenso, como el de un chivo.

Marinferínfero, gritó José Luis, reconociendo a aquel hombre que vivía en la otra ciudad. Marinferínfero. Marinferínfero.

El anciano lo llamó con un gesto. Mariana le susurró al oído: ahora tienes que ir con él.

José Luis caminó unos cuantos metros hasta colocarse a un lado del anciano. Juntos, empezaron a saltar sobre los techos de Madrid. El aire era acuoso, flotante. Desde el cielo comenzó a soplar un color malva que rasgaba las nubes del amanecer.

Siguieron saltando sobre las casas, las copas de los árboles, los edificios, hasta llegar a Martín de los Heros.

Mira allá, dijo Marinferínfero y apuntó con su bastón de madera hacia un punto indefinido: mira, mira hacia allá.

Una lámina azul, una textura brumosa. Agujas de yodo, espuma, arena. Desde el mar que aparecía entre nubes el niño escuchó un desconocido rumor: olas golpeando como un látigo la orilla. El sol fue abriéndose paso entre las aguas y llenó la superficie de ojos luminosos, naranjas, heridas de luz.

José Luis respiró con toda la fuerza de sus pulmones. Reconoció el olor que lo asaltaba en las noches.

El mar agitó su aroma: incendio de sal.

Menos mal que papá no me vio, porque lloré un poquito, un llanto silencioso, llenecito de preguntas, eso
sí, y a papá no le gusta verme en esa vaina.

Y lo que pasa es que yo no puedo ver gente llorando, y allí lloraban todos. El señor Cunqueiro, la señora Cunqueiro, y Mariana, Mariana lloraba mucho y
estaba rojita y tenía que quitarse las gafas para lim-
piarlas y volvérselas a poner.

Somaira también lloraba. Y Augusto un poco. Y en
la casa, antes de irnos, mamá también quedó llorando en la cocina. No me gusta. Odio esa pendejada.
Pero claro, cuando uno está triste. Porque mi hermano me dijo que él y Somaira se iban de Madrid. Yo
me estuve callado un ratote y después dije que me
iba con ellos. Mamá protestó, pero yo insistí, yo insistí mucho.

Ahora me da lástima con mi mamá. Se veía triste.
Papá seguro que también se va a poner triste cuando
sepa que nos fuimos. Pero yo quiero irme con Augusto y con Somaira, Somaira que últimamente está
más callada que nunca y se la nota apagada y casi no
habla.

Mi hermano me contó que vamos a Salamanca, y
yo le pregunté si eso era muy lejos. Me dijo que no,
que a dos horas y media. Que allí él había conseguido

un trabajo, que allí yo empezaría la escuela en el otoño, que después me llevaría de paseo a Aveiro, y a La Coruña y me compraría un bañador; que de todas maneras viajaríamos mucho a mi calle en Madrid para ver a mamá y a papá. Y yo le dije que también a Mariana, que yo quería venir siempre a ver a Mariana, y a Chang y a Francisco. Y Somaira me preguntó si no quería ver también a mi hermanita y lo pensé un rato y le dije que sí, bueno, sí, un poquito también a Agustina.

Por eso estoy aquí en el autobús. Me dormí un rato. Puse la cabeza en las piernas de Somaira y me quedé dormido. Me gusta mucho dormir y en la casa en estos días me despertaba a cada rato porque mi familia empezaba con una gritadera y yo escuchaba la voz de papá que hablaba durísimo y le metía puños a las paredes.

Augusto me despierta. Abro los ojos, y veo un río, un río pequeñito, y al lado, como en una montaña, hay una iglesia grandota. Creo que es la iglesia más grande que he visto en mi vida. Y Augusto me dice que Salamanca es doradita y es toda de piedra, y que de noche las piedras siguen alumbrando, no hacen falta bombillas porque las piedras son como las velas que Somaira le enciende a veces a los santos, y alumbran, alumbran mucho.

Yo me quedo viendo un rato. Después me distraigo. Acabo de acordarme que cuando me despedí de Mariana en la estación de autobuses, cuando la abracé, me pareció que en el pecho le estaban saliendo unas punticas, unas puyitas que eran blandas y por eso seguí abrazado, porque me parecía muy raro que mi amiga tuviese esas peloticas que yo hasta ahora no le había visto. Creo que por eso dejé de llorar. Ahora me acuerdo, y me da como frío, y después calor, y otra vez frío. Yo quiero volver pronto a mi calle para abrazar a Mariana.

Barquisimeto-Madrid
Enero 2001-enero 2002